CLÁSSICOS DA POLÍTICA
SPINOZA TRATADO POLÍTICO

CLÁSSICOS DA
POLÍTICA

EDIÇÃO

SPINOZA TRATADO POLÍTICO

TRADUÇÃO E PREFÁCIO DE
JOSÉ PÉREZ

EDITORA
NOVA
RONTEIRA

Título original: *Traité Politique*

Direitos de edição da obra em língua portuguesa no Brasil adquiridos pela EDITORA NOVA FRONTEIRA PARTICIPAÇÕES S.A. Todos os direitos reservados. Nenhuma parte desta obra pode ser apropriada e estocada em sistema de banco de dados ou processo similar, em qualquer forma ou meio, seja eletrônico, de fotocópia, gravação etc., sem a permissão do detentor do copirraite.

EDITORA NOVA FRONTEIRA PARTICIPAÇÕES S.A.
Rua Candelária, 60 — 7º andar — Centro — 20091-020
Rio de Janeiro — RJ — Brasil
Tel.: (21) 3882-8200

Dados Internacionais de Catalogação na Publicação (CIP)
(Câmara Brasileira do Livro, SP, Brasil)

Spinoza, Baruch de, 1632-1677
 Tratado político / Baruch de Spinoza ; tradução José Pérez. -- 4. ed. -- Rio de Janeiro : Nova Fronteira, 2020.

 Título original: Traité Politique
 ISBN 978-65-5640-131-7

 1. Ciências policiais 2. Ciências políticas - Filosofia I. Título.

20-48071 CDD-320.01

Índices para catálogo sistemático:

1. Ciência política : Filosofia 320.01

Maria Alice Ferreira - Bibliotecária - CRB-8/7964

Sumário

7	Prefácio do tradutor
29	Carta de Spinoza a um amigo sobre o *Tratado político*
31	Capítulo I — Introdução
35	Capítulo II — Do direito natural
45	Capítulo III — Do direito dos poderes soberanos
54	Capítulo IV — Dos grandes negócios do Estado
58	Capítulo V — Da melhor condição possível para um Estado
62	Capítulo VI — Da monarquia
74	Capítulo VII — Da monarquia (*continuação*)
94	Capítulo VIII — Da aristocracia
120	Capítulo IX — Da aristocracia (*continuação*)
128	Capítulo X — Da aristocracia (*fim*)
135	Capítulo XI — Da democracia (*inacabado*)
139	Notas do prefácio
141	Notas dos capítulos

Prefácio do tradutor*

I

Inicio, com este trabalho, a realização de um pensamento antigo e persistente — traduzir, expor e interpretar Spinoza. Tudo com fito de disseminar o seu alto pensamento, que, estou certo, apesar dos seus três séculos, ainda é loução e capaz de, em muito, contribuir para o progresso espiritual da humanidade.

Julgo, assim, verter, pela primeira vez, à língua portuguesa, o sistema do Gênio — com letra bem Maiúscula —, marmorizado, especialmente, no "drama em cinco atos", como já se qualificou a *ÉTICA*, cinzelada nas tessituras geométricas de definições, explicações, proposições, demonstrações, axiomas, corolários, postulados, escólios, lemas e apêndices, tal a inflexível certeza com que pensara ter atingido a *Essência* estrutural da *Verdade* e a *Substância Única das Coisas*.

Traduzindo-o, preiteio, ainda, o Homem, que exerce, sobre a parte pensante da Humanidade, fascínio paralisador. Traduzindo-o, reabilito, também, de certo modo, o idioma da vergonha de não contar, em sua literatura de tradução, com os Grandes do pensamento humano, e, entre estes, Spinoza, que tão alta e excelsamente perlustra a cepa da filosofia universal.

A grandeza de Spinoza demonstra-se:

1.º — Cristo e Spinoza

Creia-se ou não em Cristo. Um fato, que tem o peso esmagador de dois mil anos, não se pode negar: é a contemplação quase extática

---

* Conservei nesta tradução as divergências de pessoas verbais que encontrei nos textos franceses, que umas vezes se reportavam à primeira e, outras, à terceira pessoa, como, também, às vezes, assumem uma forma impessoal.

— a maior que até agora se conhece — da humanidade, quase inteira, por esse Tipo Singular. É o que cumpre constatar honestamente. Pouco importa que tenha existido, ou não, em carne e osso. Pouco importa que tivesse sido um sábio ou um analfabeto, que não soubera ler nem escrever. Pouco importa que, existindo, jamais houvesse escrito uma só linha. Uma só coisa importa reconhecer nesta nova e parece que definitiva revisão dialética da História: é o fato das suas influências — decisivas, irremovíveis, peremptórias — e que o mundo as sentiu do modo mais direto que até hoje se sabe.

E essas influências resultaram moral, doutrinária e politicamente de causas que, também, não se podem sofismar:

a) da alta pureza moral desse Símbolo, verdadeiro ou mítico. Se verdadeiro, valendo por uma aberração fenomenal. Se quimérico, muito bem imaginado e impingido às massas;

b) da simplicidade doutrinária das suas ideias (Simmel, William). Daí o seu êxito;

c) de ter sido um oportuno substitutivo ideológico ao paganismo, que, por então já ineficiente e desmoralizado, secara em suas fontes vivas. No reajustamento econômico e social que se processava na Europa, sob a expressão das massas em revolta, e sob o guante dos bárbaros, que despencaram sobre ela, como rochedos humanos, o cristianismo foi a ideologia ajustável, como anel ao dedo. Com a sua moralidade, impôs-se. Com a sua oportunidade, firmou-se.

* * *

Pois essa grandeza moral e essa singela universalidade doutrinária estão em Spinoza, como em Cristo. Falta, porém, ao primeiro, ainda, o elemento decisivo da oportunidade. De fato, muito precisa evolver o homem, moralmente, sobre a base de definitivos reajustamentos econômicos e sociais, que dão, em última instância, as determinantes do aperfeiçoamento espiritual da humanidade, para que se lhe possa encaixar essa magnífica moral, de pureza e desprendimento, que Spinoza assentou por pedestal último do seu Sistema:

O prêmio da virtude está na virtude mesma...[I]

Mas, isto não obstante, pode-se tirar e traçar o paralelo entre os dois vultos. E a comparação, como é claro, mostra a que ponto já chega a admiração intelectual do mundo a Spinoza, mormente se se considera que não se sabe de outro que tivesse tido essa oportunidade. Tinha razão, pois, Leblais:

A vida inteira de Spinoza protesta, energicamente, contra os que pretendem que só as crenças religiosas são a base da moralidade pessoal, doméstica ou social.[II]

E, por isso mesmo, um escritor do século passado, Kriu-zinga-Homan, levado do seu amor ao filósofo, intitula, com essa pergunta, um livro sobre ele:

Christus of Spinoza?[III]

Na Alemanha e na Holanda, terra nativa do filósofo, é moente e corrente o tributo admirativo do paralelo, que ora traço. Livros o testificam:

Jesus e Spinoza em diálogo[IV]

Spinoza sobre Jesus e sua ressurreição[V]

O panteísmo visto em nossos dias sobre Jesus de Nazaré por Baruch de Spinoza[VI]

Dalber vai nas mesmas águas:

Spinoza e Cristo são os únicos que possuíram o conhecimento de Deus.

Constantino Brunner, num livro vibrante, afina pelo mesmo diapasão:

... Spinoza e Cristo, de quem se pode dizer a frase mais sublime que se aplique aos homens; fostes espíritos certos!... (p. 7).

A verdadeira grandeza na vida de Spinoza está, sem dúvida — como em Jesus Cristo —, em que viveu e representou por sua vida, o que ensinou (p. 76).[VII]

É que, efetivamente, maravilha contemplar essa vida de Spinoza, traçada a linhas escoimadas de toda imperfeição, como o ouro que se apurou ao fogo, no crisol, e essa doutrina sua, muito sua, clara e humana, palpitante às virtudes arrancadas às canteiras extremas da vida, e, daí, assemelhar-se...

... a uma floresta de pensamentos altos como o céu, de cimas floridas, perpetuamente agitadas, e de troncos inabaláveis que mergulham suas raízes na eternidade ao solo... como a esculpiu, a emoção lírica de Heine.

* * *

Curiosa e a propósito é a transcrição, retirados à própria obra do filósofo, de conceitos, que provam a admiração que "este judeu português de Amsterdã" — a frase é de Ramalho, ressabiada de tolo amargor reivindicatório — tributava ao judeu da Galileia.

Do *Tratado teológico-político*:

... Jesus é o caminho da salvação. (Cap. I).

... Cristo não foi tanto um profeta, como a voz mesma de Deus. (Cap. IV).

Jesus Cristo só ensinava princípios universais de moral. (Cap. V).

... o que o Cristo queria reformar não eram os atos externos, mas o fundo mesmo dos corações. (Cap. V).

É verdade que, provocado por Oldenburg, seu admirador irrestrito, incondicional, a "declarar, abertamente", a sua opinião sobre "Jesus Cristo Redentor do mundo, único mediador entre Deus e os homens, sobre a *Encarnação* e o seu Holocausto", respondeu:

Enfim, para vos dizer, francamente, o que penso sobre o terceiro ponto, declaro que não creio necessário, de nenhum modo, para a salvação, conhecer o Cristo pela carne. Ele é, de muito diverso modo, filho de Deus, isto é, da sabedoria eterna, que se manifestou em todas as coisas, principalmente na alma humana, e, mais do que em ninguém, em Jesus Cristo. Ninguém, com efeito, sem essa sabedoria, pode chegar ao estado de beatitude, pois só ela ensina o que é verdadeiro e o que é falso, o que é bom e o que é mal. E porque, como disse, essa sabedoria se manifestou, no mais alto grau, em Jesus Cristo, seus discípulos a pregaram na medida em que lhes foi por ele revelada e mostraram que se podiam gloriar, mais do que os outros homens, de possuir esse espírito de Cristo. Quanto ao que dizem algumas igrejas, isto é, que Deus tomou a natureza humana, declaro, expressamente, que não entendo o que querem dizer. Mais: para falar com franqueza, essa linguagem parece-me tão absurda, como a que contasse que um círculo tomou a forma de um quadrado.

Doutra feita declara, em carta, também, não acreditar na ressurreição do Cristo, exaltando-lhe, porém, a perfeição da vida e da doutrina:

Notai, Senhor, que Jesus Cristo não apareceu depois de sua morte nem ao Senado, nem a Pilatos, nem a nenhum infiel, mas somente aos santos. Considerai, também, que Deus não tem direita, nem esquerda, que não tem lugar certo, mas que está em toda parte presente por sua essência; que Deus não se manifesta fora do mundo, nesses espaços fantásticos que se imagina: que, enfim, o corpo humano é retido em limites determinados pelo só peso do ar; e, se considerais todas essas razões em conjunto, reconhecereis que a aparição de Jesus Cristo a seus apóstolos foi mais ou menos como a de Deus a Abraão, quando este viu dois homens e os convidou a jantar. (Ver Gen., cap. 18, vers. 1-17). Dir-me-eis que todos os apóstolos creram na ressurreição e na ascensão real de Jesus Cristo. E estou longe de negá-lo. Mas Abraão acreditou, também, que Deus havia jantado com ele, e todos os israelitas andaram na crença de que Deus desceu sobre o Sinai num envoltório de fogo e lhes falou diretamente, e, no entanto, todas essas aparições e todas essas revelações são, apenas, meios que Deus empregou para se pôr ao alcance da inteligência e das opiniões dos homens, fazendo-lhes conhecer a sua vontade. Concluo, pois, que a ressurreição de Jesus Cristo é, no fundo, uma ressurreição espiritual revelada só aos seus fiéis, segundo o alcance do seu espírito. Por onde entendo que Jesus Cristo foi levado da vida à eternidade e que, depois, elevou-se do seio dos mortos (tomando essa frase no mesmo sentido em que Jesus Cristo disse: Deixai os mortos enterrar seus mortos; ver S. Mat. C. 8, vers. 21 e 22), como se havia elevado por sua vida e por sua morte, dando o exemplo de santidade sem igual. Nesse mesmo sentido, ele ressuscita os seus discípulos dentre os mortos, ao seguirem o exemplo de sua vida e de sua morte. Creio não ser difícil explicar toda a doutrina do Evangelho, com a ajuda desse sistema de interpretação.

Daí, resulta:
O cuidado com que Spinoza explanava, numa época de fanatismo, o seu pensamento. Cuidado, digo, porque parece que tendia a negar, inteiramente — e nas entrelinhas o nega, de fato —, toda a divindade dos Evangelhos! Dirigido pelo seu lema — *Caute* — muitas vezes envolveu as suas ideias em dobras e refolhos que necessitam ser aclaradas.

E, também, que, encarando a Cristo como um grande símbolo de peregrinas perfeições morais, sublimou-o, de certo modo, embora lhe retirasse a auréola de um "vulgar Jesus de ciclorama" — a frase é de Junqueiro, na "Velhice..." — das explorações religiosas.

2.º — O grande cidadão

Spinoza não foi um especulador abstrato, contemplativo, e completamente inativo. Dispôs-se, sempre, a ser um guia prático dos homens e deixou as provas dessa intenção na *Ética* e no *Tratado político*.

Preocupou-se, sempre, de política, não só externa como interna. Foi, diga-se desde logo, um cidadão ideal. Já pela retidão das suas ações. Já pela perfeição dos seus ideais. O zelo e o cuidado pela sorte dos seus concidadãos dominam-no inteiramente. O sentimento profundo da Humanidade, que palpita na *Ética*, revela-se pela CIVES, pela Coletividade, no *Tratado político*. Arrebata-o o sentimento e o sentido profundo da paz pública e da liberdade dos cidadãos. Por elas, acha, se atinge a felicidade. Então, desbastou e poliu os mármores do seu *Tratado*, para lhe imprimir as linhas tranquilas e fortes dos seus ideais políticos, que induzem à preocupação candente de uma CIVES onde essa paz e essa liberdade, *pela organização das instituições*, como ele conjecturou, se assentassem, soberanamente.

Amigo e aliado dos republicanos democratas do tempo — os irmãos Witt —, era ardente patriota e fervoroso partidário desse sistema governamental, que, para a época, significava o máximo ideal *libertário...* Era muito apegado à república holandesa e tinha tal cautela pelos interesses supremos da pátria, que os colocava acima de tudo. E tanto que finaliza o *Tratado teológico-político*:

> *Aqui termino a exposição da doutrina, que resolvi estabelecer neste tratado. Resta-me só declarar que nada escrevi neste livro que não submeta, de bom grado, ao exame dos soberanos de minha pátria. Se julgam que qualquer palavra minha é contrária às leis do meu país e ao bem público, retiro-a. Sei que sou homem e posso equivocar-me. Mas atrevo-me a afirmar que fiz todo o possível para não enganar-me e,*

sobretudo, conformar os meus escritos às leis de minha pátria, à piedade e aos bons costumes. (Tomo 3 — Cap. XX).

Doutra feita, também, declara a Oldenburg:

... prefiro guardar silêncio a impor minhas opiniões aos homens, contra a vontade de minha pátria... (Carta de maio, 1663).

II

Não pretendi traçar, aqui, a sua biografia, mesmo na parte referente à sua atuação política. Reservo-me para a biografia que estou elaborando, sobre o excelso plasmador da *Ética*. Aqui só me cumpria estabelecer ligeiras indicações, que devem ter o seu devido desenvolvimento em outro lugar. Entanto, e é o que ora importa, o seu interesse pela política em geral, pelos acontecimentos políticos e sociais do seu tempo, deve ficar lembrado. Referindo-se a uma guerra de seu tempo, numa carta a Oldenburg, declara-se:

Sinto-me feliz de saber que no círculo de filósofos em que viveis, todos eles ficam fiéis a si mesmos e ao mesmo tempo a seu país. É-me preciso esperar, para informar-me de seus trabalhos recentes, o momento em que, fartados de sangue humano, os Estados em guerra ajustem um descanso para reparar as suas forças. Se essa personagem famosa, que ria de tudo, vivesse em nosso século, certamente morreria de rir. Quanto a mim esses abalos não me movem nem ao riso nem às lágrimas. Antes, dão causa a que se desenvolva mais em mim o desejo de filosofar, e melhor observar a natureza humana.

Noutra, ao mesmo Oldenburg, comunica-lhe:

Nenhuma esperança de paz com os ingleses; o boato que correu, recentemente, foi devido a um embaixador, que se pretendia ter sido enviado à França e, também, porque as pessoas de Over Yssel, que trabalham com todas as suas forças para o príncipe de Orange, e, isso, na opinião de mais de um, menos em seu próprio interesse do que para prejudicar aos holandeses, tinha imaginado enviar o dito príncipe à Inglaterra como mediador. Mas a situação é bem outra. Os holandeses, no momento, não têm a menor ideia de fazer a paz, e só se pode esperar que a isso o conduzam as circunstâncias, negociando-a por dinheiro. Dos desejos da Suécia ainda se duvida; muitos pensam que seu objetivo é Motz; outros dizem que é a Holanda. Mas isto não é mais do que conjecturas.

Da sua grande, excepcional coragem, pessoal e política, falem dois fatos: Acampara, nos arredores de Haia, o célebre Condé. Para transmitir ao filósofo as considerações e os oferecimentos do seu rei, pede uma entrevista com ele, em seu bivaque. Acede Spinoza e, no acampamento do guerreiro, passa alguns dias, onde a doçura dos seus modos, a lhanura do seu trato, a prudência das suas observações e a profundidade dos conceitos que emite, admiram os que com ele privam. Disse-se que lhe foi pedido, a troco de favores concedíveis, dedicasse ao rei de França uma das suas obras. Com muita polidez Spinoza fez ver que não lhe era possível tal fazer, pois nada tinha que dedicar a esse rei... À sua volta do acampamento, a populaça, crendo-o pactuante com esse inimigo, rodeia a casa em que residia, para apedrejá-la e saqueá-la. Alarma-se a hospedeira do pensador, mas esse não só a consola como lhe garante a integridade física, com as bravas palavras que o seu biógrafo e seu contemporâneo, o pastor Colerus, transcreve em sua famosa *Vida de Spinoza*, as quais ouviu da boca dessa mesma hospedeira: "Não temais por mim, que é fácil justificar-me: muitos, e os principais do país, bem sabem o que me determinou a fazer esta viagem. Mas, seja como for, assim que a populaça faça o menor barulho à vossa porta, sairei e direto a ela me dirigirei, ainda quando ela me faça o mesmo que fizeram aos infelizes Senhores de Witt. Sou bom republicano, e só tenho tido em propósito a glória e a grandeza do Estado." O outro fato é tão expressivo quanto o que acabo de relatar. Foi à raiz do assassínio político dos Witt, os irmãos João e Cornélio, seus amigos diletos, seus discípulos de matemática e seus aconselhados políticos. Ao saber do crime, dizem que derramou lágrimas. E, sem nada temer, saiu da sua poucas vezes alterada serenidade, para ir escrever, a carvão, na parede da casa dos assassinos: *Ultimi barbarum*. E, assim, visava aos fanáticos e rígidos calvinistas e a Guilherme de Orange.

3.º — A política

Conhecedor dos grandes teóricos da política, sabe apresentar uma teoria original sobre ela e, por isso mesmo, responde a Jarig Jelles, ao indagar-lhe este, sobre as diferenças entre a sua política e a de Hobbes:

> *Perguntais-me que diferença há entre Hobbes e eu quanto à política: essa diferença consiste em que mantenho sempre o direito natural e que não concedo, numa cidade, qualquer direito ao soberano, sobre os súditos, senão na medida em que, pelo poder, ele se lança sobre eles; é a continuação do estado de natureza.* (Haia, 2 de junho de 1647).

Foi, mesmo, o seu elevado critério político que o levou, nos últimos anos de vida, depois das composições mais profundas do seu pensamento, como o *Tratado da reforma do entendimento*, o *Tratado teológico-político*, e a *Ética*, às preocupações da política. Não fora a morte, que o arrebatou antes de terminar este célebre *Tratado político*, sem que lhe fosse dado retraçar as linhas mestras da Democracia, pergunta-se: Spinoza não teria determinado uma vasta revolução, igual ou maior que a que operou nos âmbitos da filosofia, com a *Ética*?

***

No *Tratado político* desdobra um plano de organização da propriedade, que, em linguagem moderna, se poderá qualificar de coletivismo agrário. Acha que os campos e todo o solo, e, se possível, as próprias casas, pertençam ao Estado, isto é, àquele que é depositário do direito do Estado, a fim de que os alugue, mediante um pagamento, aos habitantes da cidade e aos agricultores. (Cap. VI — §12.) Volta ao mesmo assunto no Cap. VII, § 19 para reafirmar que o solo e o que lhe é inerente pertencem, essencialmente, à comunidade, isto é, a todos aqueles que uniram as suas forças ou àquilo a que todos deram o poder de reivindicar seus direitos. E o seu excogitar constante é garantir a todos a certeza integral dos direitos. É rígido quanto a isso e não admite tergiversações, no que respeita à garantia dos direitos individuais, como nos que importa à coletividade, indo até a pena de morte. Por isso, há quem denomine o seu sistema político de Liberalismo Autoritário. E eis que os fundamentos populares do seu plano, na organização da monarquia como na aristocracia, servem não só à Holanda, a quem se destinavam, mas a qualquer outro povo ou nação. É verdade que visa mais particularmente a esse país, pois, conforme alguns escritores, o *Tratado* vale por um programa de ação política do partido a que se filiara, sob a imediata direção dos irmãos Witt e de Boxel, e do qual era, ele próprio, o conselheiro mais respeitado. Mas os traçados gerais, apesar do seu aspecto de programa ou testamento cívico, como querem outros, fizeram do livro um compêndio humano de virtudes políticas, aceitáveis universalmente. E, por isso, escreve Chartier:

> ... *verdadeiro manual de política racional, em que são desenvolvidos os princípios lançados no* Tratado teológico-político. *Trata da monarquia e da aristocracia. As condições de existência dessas duas formas de governo são analisadas com tal precisão e cuidado que revelam profundo conhecimento dos homens.*

De fato: Spinoza tem, diante dos olhos, a visão real dos homens e da sociedade. Daí o seu profundo desprezo pelas utopias e pelos idealizadores utópicos de sociedades ideais, como faz ver, de início, no *Tratado*.

Parece que se quer referir aos Morus e aos Campanella. E, ao contrário destes, descreve o homem tal qual é, em sua natureza, sem desconhecê-lo com seus vícios e paixões, mas, também, sem censurá-lo por esse aspecto intrínseco à sua humanidade. É um realista. Assenta, por base de sua análise, as diferenças entre a paixão e a razão, achando, muito acertadamente, que o homem é mais conduzido pela paixão, pela cega paixão, do que pela razão. Nele, firma a sua grande lei filosófico-sociológica, de que todas as coisas e todas os seres, incluído o homem, tendem a perseverar em seu ser. Estabelece, na *Ética*, III P. — prop. VI: "Toda coisa, enquanto é em si, se esforça por perseverar em seu ser." E continua desenvolvendo o tema nas props. VII, VIII, IX. E a ele, torna na IV P. — prop. XVIII. Os resultados dessa lei, nos âmbitos da ciência, poder-se-ão verificar, de uma parte, em Darwin e suas ecoantes consequências, e, de outras, em Marx e suas formidáveis resultantes humanas e sociais. Estuda e destrincha o Estado da Natureza e o Estado Social, e por essas águas navegou, talvez, em silêncio, o grande Rousseau. Nessa diferença procura lançar, solidamente, os pedestais jurídicos do Estado.

Também é neste livro que assenta, como lembra o brilhante Simmel, aceitando-a por base da Sociologia, a regra fundamental dessa Ciência: "Nada mais útil para o homem do que o próprio homem." (Ver, também, *Ética* IV— prop. XVIII, *Esc.*)

Sabe, com a experiência de um prático arguto, que o homem é mais dominado pela paixão do que pela razão e inclinado mais para a vingança do que para a misericórdia, isto é, mais para o mal do que para o bem. Adverte, então, sabiamente, que, no momento em que se colocam os fundamentos do Estado, é preciso ter olho atento nas paixões humanas. Frisa a causa que faz agir os seres humanos: o amor da glória. Descreve-lhes as fraquezas e termina dizendo que eles não são deuses, isto é, que não têm a necessária força para resistir às seduções de toda espécie e que são, frequentemente, seduzidos pelo canto das sereias. Pelo quê, exige instituições de tal jeito bem constituídas, que aos governantes seja quase impossível desonestar. E nesse sentido, diz, pouco lhe importa que seja por esse ou aquele motivo, que os negócios públicos sejam bem administrados. O que importa é que o sejam. E reconhece que um Estado será pouco estável se a sua salvação depender da honradez de um indivíduo e os negócios públicos só se puderem realizar à condição de serem conduzidos por mãos honradas. Naturalmente porque essas são poucas. Então, organizem-se governos, onde, de qualquer modo, se previna a desonestidade, independente da probidade individual. Vai além do critério das lutas entre as classes sociais, ao reconhecer que os homens são, naturalmente, inimigos, de modo que, escreve, por mais ligados que estejam pelas instituições, ficam sempre tais quais a natureza os produziu... Por isso, talvez, procura colocar a utilidade por fundamento das relações administrativas e sociais e põe-lhe o interesse por base, entrosando os públicos aos particulares, pois, a seu ver, ninguém defende os interesses dos outros, senão enquanto acredita que, assim, defende os seus próprios. — Firma o seu desprezo pela igualdade dos utópicos, porque, pensa, "procurar a igualdade, entre elementos desiguais, é procurar o absurdo". Assenta, mais uma vez, neste livro, o que é capital na *Ética*: o desprestígio das compensações à virtude, porque, declara, as estátuas, os cortejos triunfais e outros excitantes da virtude são sinais de servidão mais que sinais de liberdade. — O seu amor à democracia é profundo e integral. E, apesar de não ter cogitado dela com minúcia, pois o levou a morte antes de terminar o livro, foi deixando, aqui e acolá, os lampejos da sua firme fé na democracia, num sentido genuinamente popular, tanto que julga que o *poder do Estado* é, por definição e por medida, *o poder comum da massa*. Chega a ser tão visceralmente democrático que leva o seu amor por ela até a organização da própria monarquia e da mesma aristocracia. Pelo que, escreve, teve constantemente no pensamento um governo monárquico instituído por uma multidão livre... E, ao definir aristocracia, fá-lo em termos democráticos, pois a vê como o governo dirigido, não por um só, mas por certo número de cidadãos eleitos dentre a multidão. — Ainda, cogitando da monarquia, a mais individualista forma governativa e política, opina em que o rei se pertencerá tanto mais a si mesmo e será tanto mais rei, quanto mais zelar pelo bem comum. (Cap. VII — § II) Faz a defesa das massas pelo modo mais esmagador que se poderia fazer: "Esses pontos de vista talvez sejam acolhidos com um sorriso de desdém, por aqueles que restringem à plebe os vícios que se encontram em todos os homens. Jogar-me-ão em cara esses antigos adágios: 'O vulgo é incapaz de moderação', 'que se torna terrível ao cessar o temor', que 'a plebe só sabe servir com baixeza ou dominar com insolência', 'que é estranha à verdade', 'que lhe falta raciocínio'. Respondo que todos os homens têm uma única e só natureza. O que nos engana, quanto a isto, é o poder e o grau de cultura." (Cap. VIII) — O sentido democrático da sua monarquia aflora, ainda, da sua rigorosa eletividade. Declara que não admite a hereditariedade e diz que, quando um rei morre, o Estado morre, de certo modo, pois vago fica o mando, e a multidão é que deve dar-lhe substituto. E estabelece, ferreamente, no belo § 25 do Cap. VII: "Quanto àqueles que pretendem que o rei, somente porque é senhor do império e o possui por direito absoluto, pode transferi-lo a quem lhe apraza e escolher a seu grado o seu sucessor, e que, daí, concluem, que o filho do rei é herdeiro do império por direito, certamente laboram em erro. Com efeito, a vontade do rei não tem força senão o tempo em que ele detiver o mando do Estado. Porque o direito se mede pelo poder. O rei deve, pois, é verdade, deixar o trono, mas não pode transmiti-lo a um outro senão com o consentimento da multidão ou, ao menos, da parte mais forte da multidão."

Num lance de fulgurante protesto democrático contra a paz podre das tiranias-fascismos de todos os tempos, amaldiçoado de todos os homens retos! — em palavras brônzeas e de peregrina eloquência, exclama: "Se se dá o nome de paz à escravidão, à barbárie e à solidão, nada mais desgraçado para o homem do que a paz." E prossegue: ..."a paz, como já foi dito, não consiste na ausência da guerra, mas na união dos corações".

Preveniu, com avisos salutares, as causas do aviltamento político e da guerra, denunciando o abastardamento dos reis que, em prol de sua política, a mor parte das vezes, para oprimir os grandes, procuram vadios e perdidos na devassidão, distinguindo-os, enchendo-os de dinheiro e de favores, tomando-os à sua proteção, cercando-os, de consideração, e numa palavra, praticando as últimas baixezas, tendo em vista o domínio. E, no referente ao alistamento de mercenários, muito comum na sua época, declara que é pôr-se sob o jugo, é semear os germens da guerra eterna, fazer ou admitir que se engajem soldados estrangeiros, para quem a guerra é um negócio, e que tiram a sua maior vantagem das discórdias e das sedições. (Cap. VII —12.)

No referente à religião, problema, hoje, de somenos, mas, entonces, da mais alta relevância, declara-as, em rebuços, de puro foro íntimo: "Não se deve construir nenhum templo à custa das cidades. E não se pode fazer leis sobre as opiniões, a menos que se considerem sediciosas e subversivas. Que aqueles que concordarem no serviço público da sua religião, se querem um templo, construam-no à sua custa. Quanto ao rei, terá, em seu palácio, um templo particular para praticar a religião que adotou."

Ainda reafirma, no Capítulo VII, § 46, os seus argumentos, em prol da mais cabal liberdade de religião. Vale a pena meditar-se.

Insistindo no valor das instituições, como plasmadoras dos homens, acha que nelas está, em sua boa ou má organização, a plasmação do homem virtuoso ou do homem perverso. Tese, hoje, aceita pela maioria dos sociólogos e dos educadores, qualquer que seja o seu matiz político, que tomam o homem como expressão da sua ambiência social, o que tanto vale, o homem fruto da organização da sociedade, como já queria Spinoza.

Como na Ética, a Política, afinal, é vista sob o duplo aspecto de razão e apetite. Para ele a Política é consequência da Ética? Assim, ao menos parece, à primeira vista, o que é absurdo, pois a moral é social e não individual. Entanto, uma análise mais detida convence do contrário. E isso se prova do estudo atento desta obra, pois, aqui acha, e o repete várias vezes, que o homem é fruto das instituições, e na firme e perfeita organização dessas, encontra o melhor meio da formação de um homem superior. Logo, ao contrário do que pensa a maioria dos seus comentadores, julgo que o critério de Spinoza era sociológico e não individualista. A própria *Ética* está saturada de espírito coletivista.

Aborda, neste *Tratado*, todos os problemas essenciais da política, do voto à caserna, da justiça ao ensino, da representação popular à diplomacia. E regula a superioridade do Estado sobre o indivíduo, em bem do próprio indivíduo, assegurado, assim, na sua liberdade e na sua paz. E, isto, porque, tendo sempre em vista a liberdade, a paz e a segurança, não admite a inteira absorção e consequente eliminação do indivíduo no Estado, antes, embora obrigando-o fortemente para com o Estado, põe-no em situação de inteira independência, de ação e de pensamento.

Aqui a sua visão é condorina. A águia penetrou futuro além. Por um individualismo harmonioso, de equilíbrio entre o indivíduo e a sociedade, organizada essa de modo a eliminar a necessidade, e posto aquele em condições de liberdade, conduzindo-se o homem ao cultivo e desenvolvimento da sua individualidade, eis a que se esforça o trabalho dos líderes teóricos e militantes de massas do século passado e atual. E isso já florescia nesse jardim de democracia, que é a política de Spinoza. E o curioso é que a garantia da segurança coletiva e individual, tal qual a traça o filósofo, imaginou-a ele para qualquer regime político: monárquico ou aristocrático. O rei ou o conselho de nobres, no seu plano, são figuras de proa. Daí já se ter dito que Spinoza representa...

... um sistema político encantador...

* * *

Como amostra da sua poderosa análise sociológica, algumas citações antecipadas, tiradas ao *Tratado*:

Também é ponto certo que as sedições, as guerras, o desprezo ou a violação das leis devem ser imputados menos à maldade dos súditos do que à má organização do governo. Os homens não nascem próprios ou impróprios à condição social, senão que tais se tornam. (Cap. IV § 2.)

E essa, tão a propósito, tão a propósito! Medite-se-lhe bem o alcance e a oportunidade. Parece que foi escrita diante do panorama nacional e internacional existente:

Um Estado no qual os súditos não tomam armas pelo só motivo de que os paralisa o temor, o máximo que se pode dizer é que não há guerra, mas não se pode dizer que haja paz. Porque a paz não é a ausência da guerra, mas é a virtude que nasce do vigor da alma, e a verdadeira obediência (pelo art. 19 do cap. II) é a vontade constante de executar tudo o que deve ser feito de acordo com a lei comum do Estado. Por isso, uma sociedade onde a paz não tem outra base que a inércia dos súditos, os quais se deixam conduzir como um rebanho e não se exercitam senão na escravidão, não é uma sociedade, é uma solidão. (Cap. IV, 84.)

* * *

Forçoso é, entanto, reconhecer que, enquanto se explorava o sistema de Spinoza até suas últimas consequências e dele se tiravam aplicações, na Alemanha especialmente, à filosofia, à poesia, à crítica literária, às ciências naturais, à teologia, e ele dominava a própria cátedra evangélica, o aspecto político e jurídico era relegado ao abandono e à indiferença. E isso porque parece-lhe a Franck que, aqui e agora resumo, já se considerasse menos original, já parecesse difícil de conciliar com o corpo da doutrina. Foi Horn, na Alemanha, que tentou o trabalho de, como dos primeiros, estampando, em Dessau, em 1851

— *A doutrina política de Spinoza*. O de mais notar, no caso, é que, por essa época, a reação política e religiosa, na Alemanha, se desmandava em atos de insólita virulência. E contra essas "saturnais de despotismo e de servilismo" não viu Horn melhor e mais eficiente barreira do que a invocação desse mestre de democracia e guião de liberdade — Spinoza. Nele foi que Horn achou de encontrar a "última palavra de justiça e da sabedoria, a solução de todos os problemas que agitam as nações modernas, o segredo do futuro". Spinoza se lhe afigurou, entre todos os filósofos e todos os escritores políticos, o que melhor compreendeu, mais amou e mais defendeu a liberdade. Só ele soube lançar os lineamentos e soube definir as condições da democracia. Só ele soube evitar, ao mesmo tempo, as quimeras das teorias e os entraves da rotina. Unindo o espírito prático ao gênio especulativo, vendo o homem tal qual é, ao invés de sonhá-lo como deveria ser, deu-se perfeita conta da natureza da sociedade e só lhe prescreveu o que é conforme as suas necessidades e ficava ao alcance dos seus esforços. Também parecia-lhe a Horn que, naquele momento, os princípios de Spinoza estavam recebendo as confirmativas da experiência.

Este esplêndido *Tratado político*, várias passagens da *Ética* e o monumental Cap. XVI do *Tratado teológico-político* retratam um Spinoza caloroso paladino da Democracia e da liberdade política, de pensamento e de consciência. E eis que essa "alma doce e intrépida", como a qualificou um biógrafo, defendeu essa Democracia e essa liberdade num século que ela era negada e afogada em rios de sangue, mesmo na Inglaterra e na Holanda.

Mas — e aqui está o nó da questão — essa pregação tão denodada de liberdade política não contradiz, violentamente, um sistema de inflexível determinismo, "*esquises dont les sociologues de notre temps pouvent*" e tersamente negativo da liberdade moral? Eis onde divergem os seus comentaristas, afirmando outros que não, com Horn, Adelphe etc. Parece-nos que a verdade está com esses últimos, e lembro, aqui, que Spinoza nega a liberdade e a finalidade na Natureza, mas as aceita na História. Sobre isso, ainda se deve considerar que, pelo seu sistema, só se conhece o geral, a férrea unidade cósmica em que se confundem, como partes integrantes de um todo substancial, os modos, sejam seres ou coisas. Daí derivar-se, politicamente, uma democracia coletivizante que dá na confusão integral das partes no todo, isto é, do indivíduo na sociedade. Assim, a política de Spinoza faz corpo com o resto da doutrina e não o contradiz, se não que nela encontra o seu natural e lógico encaixe. *Ela dá a visão do filósofo sobre o lugar social do homem na Natureza*, afirmo. Além do mais, ela mostra uma das vigorosas posições de Spinoza: a de principal precursor da sociologia, ao ver de Gaston Richard, Louis Adelphe, Ch. Benoit, Deborin. Passando, embora, por contratualista e ligando-se, como fonte originária, a Hobbes, Locke e Rousseau, a verdade é que a "sua filosofia determinista o leva a reconhecer as condições naturais do pacto social e a procurar, ao mesmo tempo, as relações do homem e do mundo, a juízo do francês sociólogo Gaston Richard. Acha este publicista que no Livro IV da *Ética*, no *Tratado político* e *Tratado teológico-político* — há '*des vues e des ancore faire leur profit*'". Adelphe, em dois estudos magistrais sobre as concepções políticas de Spinoza, mostra como delas se desenvolveram grandes postulados jurídicos do século passado, tais quais o do direito objetivo e de soberania delegada. É por isso que Spinoza anuncia Locke, Kant, Rousseau e a Declaração dos Direitos do Homem. Saturada desses critérios democráticos está a própria Revolução Russa. Ainda, considerada do ponto de vista social, a sua obra tem uma outra valia e modernidade: frisa a ideia da necessidade da sociedade e das energias. Pontos de vista esses incorporados à sociologia. Dele, também, derivam noções hoje correntes nessa ciência, como a de que os fatos sociais obedecem a condições naturais e de que as instituições humanas resultam, sempre, de uma escolha motivada.

Mas o grande, nisso tudo, é o seu critério democrático, que define como sendo um governo absoluto... Parece paradoxal. Mas absoluto é o que é maioria, multidão...

* * *

Pequena era a sua biblioteca. Spinoza não foi desses filósofos empanturrados de leitura. Foi um ledor que perlustrou o bom e o grande do espírito humano. E isso lhe bastou, auxiliado por um esforço formidável de meditação que nela, e quase nela só, procurou as bases da sua vida intelectual — confessando que o maior prazer que sentia era refletir, pensar, meditar. A sua biblioteca compunha-se de 160 volumes! E dizem que Descartes ostentava a sua pouca leitura, declarando que só lia a Bíblia e santo Tomás!...

Entre os volumes da sua livraria encontravam-se as obras: *Politike discoursen*, 1662, Leiden; *Opere di Machiavelli*, 1550; *Mori Uto pia*; *Machiavelli*, Basil; *Polityche Weeg Schaal door*, V. H., 1661; *Las Obras de Pérez*, 1644; *El Criticón*; Hobbes; *Le Visioni Politiche*, 1671.

Ao florentino, como se verá neste livro, não regateia elogios, chamando-o *penetrantíssimo*. E isto é tanto mais extraordinário quanto se sabe que era Spinoza parco em elogios e jamais respeitou autoridades, fosse a Bíblia, Aristóteles, Platão ou Bacon. (Ver *Cartas*.) Curvava-se diante do célebre aconselhador político espanhol Antonio Pérez, guia de Felipe II, e possuía, como já ficaram enumeradas, as obras do desditoso escritor. Também lia a Gracián no *Criticón*, obra suma da literatura espanhola e universal.

Resta, somente, aqui indicar a época da elaboração do *Tratado* e a bibliografia de exposições e comentários à sua política, que se encontra na nota IX. Busse, que se especializou na cronologia das obras de Spinoza, aponta os anos de 1675-1677.[VIII]

Já disse que o *Tratado* ocupou os últimos anos do filósofo e ficou inacabado.

Como o *Tratado da reforma do entendimento*, os *Princípios da filosofia de Descartes*, a *Gramática hebraica*. É póstumo. Como a *Ética*, os *Pensamentos metafísicos*, as *Cartas*. Jarig Jelles e o dr. Luis Meier, seus amigos e discípulos, também prefaciadores das "Obras póstumas" afirmam "que o *Tratado político* foi começado pouco antes da morte do autor, e que ele não teve tempo de terminá-lo".

* * *

Canteiro de ideias, fonte de puras noções democráticas, visão de garantia de interesses e direitos, conclamação de respeito à dignidade humana, panorama social marcadamente coletivista, pena foi ter ficado inacabado este *Tratado*. Muito adiantariam à humanidade os detalhes de um plano democrático, perfeitamente delineado no corpo da obra, na análise dos fundamentos da soberania, e claramente colocados por esse impertérrito republicano democrático no célebre cap. XIV do *Tratado teológico-político*, o dó é que, colhendo-o a morte, não se tivesse a felicidade das minúcias e das sutis organizações políticas da sua Democracia.[IX]

José Pérez

Carta de Spinoza a um amigo sobre o *Tratado político*[1]

Querido amigo:

Tive ontem o prazer de receber vossa carta. Agradeço-vos, de todo coração, o zelo que por mim testemunhais. E não deixaria escapar essa oportunidade... se não estivesse, presentemente, ocupado em uma tarefa que julgo mais útil e que vos agradará muito mais: quero falar da composição do *Tratado político*, iniciado, há tempos, por vossa recomendação. Já terminei seis capítulos. O primeiro contém uma introdução. O segundo cogita do direito natural. O terceiro, do direito dos poderes soberanos. O quarto, dos negócios que dependem do governo dos poderes soberanos. O quinto, do supremo ideal que se pode propor qualquer sociedade. O sexto, da organização que se deve dar ao governo monárquico, para que não degenere em tirania. Agora, ocupo-me na redação do sétimo capítulo e em o qual demonstro, metodicamente, todos os princípios de organização, expostos no capítulo precedente. Daqui, passarei ao governo aristocrático e ao governo popular, para chegar, enfim, pormenorizadamente, às outras questões particulares, que se ligam ao assunto que trato. E adeus...

B. de Spinoza

Sem data. Provavelmente de 1677

Capítulo I — Introdução

§ 1 — É opinião geral dos filósofos que as paixões atormentadoras da vida humana são como vícios, em que incidimos por culpa nossa. Eis por que se costuma escarnecê-las, deplorá-las ou censurá-las acerbamente. Há, até, os que afetam odiá-las, por parecerem mais santos do que os outros. Acreditam agir com pureza divina e atingir o máximo da sabedoria, prodigalizando mil louvores a uma pretensa natureza humana, que não existe em parte nenhuma, e denegrindo a que existe realmente. Esses tais veem os homens, não como são, mas como quereriam que fossem. Daí que, em lugar de uma Ética, a mor parte das vezes fizeram uma Sátira e jamais conceberam uma política praticável, porém arquitetaram mais uma Quimera, boa para ser aplicada no país da Utopia ou a essa idade de ouro na qual a arte dos políticos era, certamente, mais que supérflua. Por isso, deu-se em acreditar que, de todas as ciências suscetíveis de aplicação, a política é aquela em que a teoria mais difere da prática e que nenhuma espécie de homens é menos própria ao governo do Estado que os teóricos ou os filósofos.

§ 2 — Muito ao contrário, os políticos passam por homens mais preocupados em estender armadilhas aos seus semelhantes do que em velar pelos interesses desses, e o seu principal título de honra não é a sabedoria, mas a astúcia. Ensinou-lhes a experiência que, enquanto houver homens, haverá vícios. Ora, enquanto se esforçam de prevenir a malícia humana com o auxílio de meios artificiais há muito tempo recomendados eficazes pela experiência e de que se servem, ordinariamente, os homens, governados mais pelo temor do que pela razão, ostentam hostilizar a religião, com especialidade os teólogos, os quais imaginam que os soberanos devem tratar os negócios públicos segundo as mesmas regras de piedade que regem para um particular. Mas isso não impede que essa espécie de escritores tenha conseguido tratar os assuntos políticos melhor que os filósofos. E a razão é simples: tendo tomado por guia, também, a experiência, nada disseram esses que fosse inaplicável.

§ 3 — E, certo, estou convencidíssimo, a experiência já indicou todas as formas de Estado capazes de fazer viver os homens em harmonia e todos os meios próprios de dirigir a multidão, ou de contê-la em seus justos limites. Por isso, não vejo como seja possível encontrar, pela força do pensamento, um regime político — refiro-me a qualquer coisa de aplicável — que já não tenha sido ensaiado e aplicado. Com efeito, os homens são predispostos de tal natureza, que não podem viver fora de uma determinada lei comum. Ora, a questão dos direitos comuns e dos negócios públicos tem sido tratada por homens muito matreiros ou muito hábeis, como se quiser, homens muito penetrantes de espírito. E, por isso, não é possível conceder-se qualquer sistema verdadeiramente prático útil que já não tenha sido sugerido a tempo ou por acaso, e que tenha ficado desconhecido aos homens preocupados com os negócios públicos e com a sua própria segurança.

§ 4 — Resolvendo, pois, aplicar a minha atenção à política, não foi meu desejo descobrir nada de novo nem de extraordinário, mas, somente, demonstrar, por argumentos certos e indiscutíveis, ou, noutros termos, deduzir da condição mesma do gênero humano, certo número de princípios perfeitamente de acordo com a experiência. E para manter, nessa ordem de pesquisas, a mesma liberdade de espírito que se usa nas matemáticas, abstive-me, cuidadosamente, de ridicularizar as ações humanas, delas apiedar-me ou votar-lhes ódio. Apenas procurei compreendê-las. Em face de paixões como o Amor, o Ódio, a Cólera, a Inveja, a Vaidade, a Soberbia, a Misericórdia e outras manifestações da alma, vi não vícios, mas propriedades inerentes à natureza humana, como propriedades são da natureza da atmosfera o quente, o frio, as tempestades, o trovão e outros fenômenos dessa espécie, que, embora incômodos, são inevitáveis e se produzem em virtude de causas determinadas e pelas quais nos esforçamos em compreendê-los. E que nossa alma, contemplando essas manifestações interiores, sinta a mesma alegria que ao contemplar o espetáculo dos fenômenos que maravilham os sentidos.

§ 5 — Com efeito. É certo (e o reconhecemos por verdadeiro em a nossa *Ética*)[2] que os homens são, necessariamente, sujeitos às paixões e que a sua natureza é de tal modo constituída que devem sentir piedade dos desgraçados e inveja dos felizes, e são muito mais inclinados para a vingança do que para a misericórdia. Enfim, todos devem desejar que os nossos semelhantes vivam como nós, que aceitem o que lhes seja agradável e recusem o que lhes seja aborrecível. Donde, por todos desejarem ser os primeiros, travar-se a luta e procurar-se a recíproca opressão, sendo que o vencedor se considera mais satisfeito do agravo feito do que da vantagem obtida. E, conquanto todos estejam persuadidos que a religião nos ensina o contrário disso, isto é, a amar o próximo como a si mesmo, consequentemente, a defender o bem alheio como se próprio fosse, recordo que esse ensinamento tem pouco poder sobre as paixões. É certo que ela faz valer a sua influência na hora da morte, quando a doença triunfa sobre as paixões e o homem geme, languidescente e enfraquecido, ou nos templos, porque, aqui, não está em jogo o pensar-se no comércio ou no lucro. Mas, no foro ou na corte, onde, sobremodo, essa influência seria necessária, não se faz sentir. Mostrei, igualmente, que se a razão pode muito para reprimir e moderar as paixões, o caminho que ela mostra ao homem é dos mais árduos,[3] de modo que pensar que se conduzirá a multidão ou os que se alistarem na luta da vida pública, regulando-lhes a conduta só pelos preceitos da razão, é sonhar com a idade de ouro ou embeber-se de quimeras.

§ 6 — Um Estado será, pois, pouco estável se a sua salvação depender da honestidade de um indivíduo e os negócios públicos só se puderem realizar à condição de serem conduzidos por mãos honradas. Para que ele possa subsistir é preciso que os que o dirigem, quer sejam condoídos pela razão, quer sejam pela paixão, não possam ser tentados à má-fé ou ao mau proceder. Porque pouco importa, para a segurança do Estado, que seja por tal ou qual motivo que os governantes administrem bem os negócios públicos. O que importa é que eles sejam bem administrados. A liberdade ou a força da alma é a virtude dos particulares. E a virtude do Estado é a segurança.

§ 7 — Finalmente, como os homens, bárbaros ou civilizados, unem-se por toda parte entre si e formam determinada sociedade civil, conclui-se que não é às máximas da razão que é preciso pedir os princípios e os fundamentos naturais do Estado, sendo necessário deduzi-los da natureza e da condição comum da humanidade. É o que pretendo fazer no capítulo seguinte.

Capítulo II — Do direito natural

§ 1 — Definimos, em nosso *Tratado teológico-político*, o direito natural e o direito civil[4] e, em nossa *Ética*, explicamos o que é pecado, mérito, justiça[5] e, enfim, em que consiste a liberdade humana.[6] Mas, para que o leitor não se dê ao trabalho de aí ir buscar os princípios que se ligam, essencialmente, ao assumo da presente obra, vou desenvolvê-los, pela segunda vez, e dar-lhes a regular demonstração.

§ 2 — Todas as coisas da natureza podem ser, igualmente, concebidas de maneira adequada, existam ou não. Assim como, pois, o princípio em virtude do qual elas começam a existir não se pode concluir da sua definição, outro tanto é preciso dizer do princípio que as fez perseverar em seu ser. Com efeito, sua essência ideal, segundo a qual começaram a existir, é a mesma que antes. De conseguinte, o princípio que as faz perseverar em seu ser resulta tanto da sua essência quanto do princípio que as origina. E o mesmo poder de que têm necessidade para se originar lhes é preciso para perseverar o ser. Daqui se segue que o poder que fez existir as coisas da Natureza e, por conseguinte, fá-las agir não pode ser outro que o eterno poder de Deus. Efetivamente, suponde que fosse um outro poder, um poder criado. Ele não poderia conservar-se a si próprio nem, consequentemente, conservar as coisas da Natureza, tendo necessidade, para perseverar no ser, do mesmo poder que haveria necessitado para criá-lo.

§ 3 — Uma vez assente esse ponto, a saber, que o poder das coisas da Natureza, em virtude do qual elas existem e agem, é o próprio poder de Deus, é fácil compreender o que seja o direito natural. Com efeito, tendo Deus direito sobre todas as coisas e sendo esse direito de Deus o poder mesmo de Deus enquanto considerado absolutamente livre, daí se conclui que cada ser tem, naturalmente, tanto direito quanto o poder que tem de existir e agir.

§ 4 — Por direito natural entendo, pois, as leis mesmas da Natureza e as regras segundo as quais se fazem todas as coisas. Em outros termos, o poder da Natureza mesma. Donde resulta que o direito de toda Natureza, e, por consequência, o direito de cada indivíduo, estende-se até onde se estende o seu poder. E, como resultante, tudo o que cada homem faz segundo as leis da Natureza fá-lo em virtude do direito supremo da Natureza, e tanto mais direito terá quanto maior for o seu poder.

§ 5 — Mas, se a natureza humana fosse de tal modo constituída que os homens somente vivessem segundo as prescrições da Razão e não se esforçassem de as ultrapassar, então o direito natural, enquanto se considera ligado, propriamente, ao gênero humano, seria determinado só pelo poder da Razão. Mas os homens são menos conduzidos pela razão do que pelo cego desejo e, como consequência, o poder natural dos homens, ou, o que é a mesma coisa, o seu direito natural não deve ser definido pela razão, mas por qualquer apetite que os determina a agir e a esforçar-se por se conservar. Convenho, afinal: esses desejos que não tiram sua origem da razão são menos ações dos homens que paixões. Mas, como aqui se trata do poder universal ou, noutros termos, do direito universal da natureza, não podemos, presentemente, reconhecer nenhuma diferença entre os desejos que provêm da razão e os que se engendram em nós por outras causas, e, tanto uns como outros, são quais efeitos da natureza e do desenvolvimento dessa força natural, em virtude da qual o homem se esforça por perseverar em seu ser. De fato: o homem, sábio ou ignorante, é uma parte da natureza e tudo que o determina a agir deve ser ligado ao poder da natureza enquanto esse poder pode ser definido pela natureza de tal ou qual indivíduo. Isto, porque, quer obedeça à razão ou só à paixão, o homem faz somente seguir as leis e as regras da natureza, isto é (pelo § 4 deste capítulo), conformar-se com o direito natural.

§ 6 — Mas a mor parte dos filósofos imagina que os ignorantes, longe de seguirem a ordem da natureza, ao contrário, violam-na e concebem o homem na natureza como um Estado noutro Estado. A crê-los, com efeito, a alma humana não é produzida por causas naturais, mas é criada imediatamente por Deus em tal estado de independência com relação ao resto das coisas que tenha absoluto poder de se determinar e de usar perfeitamente da razão. Ora, a experiência mostra, superabundantemente, que não está mais em nosso poder possuir uma alma sã como o de possuir um corpo são. Demais, todos, esforçando-se, tanto quanto lhes esteja ao alcance, para conservar seu ser, é indubitável que, se dependesse também de vivermos segundo os preceitos da razão, como o de ser conduzidos pelo cego desejo, todos se confiariam à razão e sabiamente regulariam sua vida, o que não acontece, porque todos têm o seu prazer particular que seduz e todos procuram obedecer à atração do prazer que desejam. E os teólogos não removem essa dificuldade com sustentarem que a causa dessa impotência do homem é um vício ou um pecado da natureza humana, que teve a sua origem na queda do nosso primeiro pai. Porque, suponde que o primeiro homem teve, igualmente, o poder de manter-se ou de cair. Dai-lhe uma alma senhora de si mesma e em um estado perfeito de integridade. Como pôde acontecer que, estando tão cheio de ciência e de prudência, houvesse caído? É, direis, que foi enganado pelo diabo. Mas quem enganou ao próprio diabo? Quem fez dele, isto é, do diabo, da primeira de todas as criaturas inteligentes, um ser tão insensato que se quisesse elevar acima de Deus? De posse de uma alma sã, não se esforçaria, naturalmente, tanto quanto nele estivesse, por manter seu estado e conservar seu ser? E, também, ao primeiro homem mesmo, como lhe aconteceu que, sendo dono de sua alma e de sua vontade, se deixasse seduzir e acorrentar pelo fundo mesmo da sua alma? Se tivesse ele o poder de bem usar da sua razão, não poderia ser enganado e, naturalmente, se esforçaria por conservar seu ser e manter sua alma pura. Ora, supusestes que ele tivesse esse poder. Logo, necessariamente, conservou sua alma pura e não pôde ser enganado, o que é desmentido por sua própria história. De conseguinte, é preciso reconhecer que não estava no poder do primeiro homem usar da reta razão e que ele era, como nós, sujeito às paixões.

§ 7 — Que o homem, assim como todos os outros seres da natureza, faça esforços, tanto quanto em si esteja, para conservar seu ser é o que ninguém pode negar. Se, nesse particular, com efeito, há alguma diferença entre os seres, ela só poderia provir de uma causa: é que o homem teria uma vontade livre. Ora, mais concebeis o homem como livre, mais sereis forçado a reconhecer que ele deve, necessariamente, conservar-se e assenhorear-se do seu ser, consequência que todos reconhecerão facilmente, suposto que não se confunda a liberdade com a contingência. Com efeito, a liberdade não é a virtude ou a perfeição. Logo, tudo o que acusa o homem de impotência não pode ser ligado à sua liberdade. Eis por que não se poderia dizer que o homem é livre, enquanto não possa existir ou enquanto não possa usar de sua razão. Ele é livre quando possa existir e agir segundo as leis da natureza humana. Mais, pois, consideramos o homem como livre, menos é-nos permissível dizer que não pode usar da sua razão e escolher o mal de preferência ao bem. E, por conseguinte, Deus, que existe de um modo absolutamente livre, pensa e age, necessariamente, da mesma maneira, quero dizer, Ele existe, pensa e age por necessidade da sua natureza. Porque não há dúvida que Deus não aja como existe, com a mesma liberdade, e dado que existe por necessidade de sua natureza, é, também, por necessidade da sua natureza que Ele age, isto é, livremente.

§ 8 — Concluímos, pois, que não está no poder de todo homem usar sempre da reta razão e de elevar-se ao ápice da liberdade humana, e que, todavia, todo homem se esforça, tanto quanto nele está, por conservar seu ser. Enfim, que tudo o que tenta fazer e faz (pois que o seu direito não tem outra medida que o seu poder), tenta-o e fá-lo, sábio ou ignorante, em virtude do direito supremo da natureza. Daqui se segue que o direito natural, sob o império do qual todos os homens nascem e vivem, não proíbe nada que eles não desejem ou não possam fazê-lo. Não repele, pois, nem as contendas nem os ódios, nem a cólera, nem o ludíbrio, nem nada, enfim, do que o apetite pode aconselhar. E isto nada tem de surpreendente.

Porque a natureza não se encerra nas leis da razão humana, as quais se ligam, apenas, à utilidade verdadeira e à conservação dos homens. Mas ela engloba uma infinidade de outras leis que abarcam a ordem eterna da natureza inteira, da qual o homem é, apenas, uma parcela, ordem necessária para a qual, somente, os indivíduos são determinados a existir e a agir de maneira determinada.

§ 9 — Daqui ainda se conclui que todo homem pertence a outro homem, por direito, quanto tempo caia sob poder um do outro, e se pertence a si mesmo na medida em que pode repelir toda violência, reparar à sua vontade o prejuízo que lhe foi causado; em uma palavra: viver absolutamente como lhe aprouver.

§ 10 — Digo que um homem tem outro sob seu poder quando o tem preso, ou quando lhe arrebatou as armas e os meios de defender-se ou de evadir-se, ou, ainda, quando o domina pelo medo, ou, enfim, quando o domina de tal modo pelos benefícios que o faz obedecer aos caprichos do seu benfeitor, de preferência às suas próprias inclinações e viver à discrição desse, mais que pelas inclinações da sua própria vontade. No primeiro e no segundo casos prende-se o corpo e não a alma. Nos dois outros, ao contrário, prende-se tanto o corpo como a alma, mas somente enquanto dura o temor ou a esperança, porque, desaparecidos esses sentimentos, o escravo torna-se livre.

§ 11 — A faculdade que tem a alma de julgar pode também cair sob o direito de outrem, enquanto um homem pode ser enganado por outro. Donde se segue que a alma não é inteiramente senhora de si própria enquanto não seja capaz de usar da reta razão. Há mais. Como o poder humano não se deve medir tanto pelo vigor do corpo quanto pelo da alma, daí resulta que ele pertence mais àqueles que possuem, no mais alto grau, a razão e por essa são conduzidos.

Porque, então, ele é determinado a agir em virtude de causas que se explicam de maneira adequada, pela sua só natureza, embora, assim, essas causas o determinem necessariamente. Com efeito, a liberdade (como o mostrei no § 7 do presente capítulo) não impede a necessidade de agir. Coloca-a.

§ 12 — A palavra dada a outrem, quando alguém se compromete somente de boca a fazer tal ou qual coisa que não estava em seu direito não fazer, ou de fazer tal ou qual coisa que estava no seu direito de fazer, essa palavra não é válida, senão enquanto quem nela se empenhou não muda de vontade. Porque, se tem o direito de reafirmar a sua promessa, nada, em realidade, cedeu do seu direito, não tendo dado senão palavras. Se, pois, o indivíduo, que é o seu próprio juiz por direito de natureza, julgou, certo ou errado (porque o homem é sujeito ao erro), que o compromisso feito ou assumido lhe resulta mais em prejuízo que em utilidade, considerará que deve violá-lo e, em virtude do direito natural (pelo § 9 do presente capítulo), violá-lo-á.

§ 13 — Se dois indivíduos se unem e associam suas forças, aumentam, assim, o seu poder e, por conseguinte, o seu direito. E mais indivíduos formem aliança, mais, todos, em conjunto, terão direitos.

§ 14 — Tanto mais os homens sejam dados à cólera, à inveja e às paixões odientas, tanto mais serão impelidos em sentidos diferentes e contrários uns aos outros, cada qual mais terrível quanto mais tenha poder, habilidade e astúcia que o resto dos animais. Ora, estando os homens sujeitos, na maioria de seus atos, por sua natureza, às paixões (como o dissemos no § 3 do capítulo precedente), conclui-se, naturalmente, que os homens são inimigos. Porque o meu maior inimigo é quem mais eu temer e aquele de quem mais eu tiver de precaver-me.

§ 15 — Vimos (no § 9 do capítulo presente) que todo indivíduo, no estado de natureza, se pertence a si mesmo tanto quanto se ponha ao abrigo da opressão dos outros. Ora, como um só homem é incapaz de se defender de todos, segue-se que o seu direito natural, tanto quanto seja determinado pelo poder de cada indivíduo e não deriva senão dele, é nulo. É um direito de opinião mais que um direito real, porque nada afiança que se gozará dele com segurança. E é certo que cada um tem tanto menos poder, por conseguinte, tanto menos direito, quanto mais tema. Acrescentai a isto que os homens, sem auxílio mútuo, mal poderiam sustentar a sua vida e cultivar a sua alma. Donde concluiremos que o direito natural, que é próprio do gênero humano, apenas se pode compreender, aí, onde os homens tenham direitos comuns, possuam, em conjunto, terras que possam habitar e cultivar, sejam, enfim, capazes de se defender, de se fortificar, de repelir qualquer violência, e viver como o entendam, sob um pacto comum. Ora (pelo § 13 do presente capítulo), mais haja homens que formem, assim, um só corpo, e, mais, todos, em conjunto, terão direitos. É por esse motivo, isto é, que os homens, no estado de natureza, mal se podem pertencer a si mesmos, que os escolásticos disseram que o homem é um animal social. E não os contradigo.

§ 16 — Por toda parte onde os homens têm direitos comuns e são, por assim dizer, dirigidos por um só pensamento, é certo (pelo § 13 deste capítulo) que cada um tem tanto menos direito quanto todos os outros reunidos são mais poderosos que ele, isto é, que cada um só tem, em realidade, direitos sobre a natureza quantos os que lhe confere a lei comum. De resto, tudo o que lhe é ordenado pela vontade geral é obrigado a obedecer e (pelo § 4 do presente capítulo) tem-se o direito de constrangê-lo.

§ 17 — Esse direito, que é definido pelo poder da multidão, costuma-se chamar ESTADO, e está em plena posse desse direito quem por consentimento comum zela pelas coisas públicas, isto é, estabelece leis, interpreta-as, abole-as, fortifica as cidades, decide da guerra e da paz etc. Se tudo isto se faz por uma assembleia saída da massa do povo, o Estado chama-se DEMOCRACIA. Se de alguns homens privilegiados, ARISTOCRACIA. E, se, enfim, de um só, MONARQUIA.

§ 18 — Resulta dos pontos estabelecidos neste capítulo que, no estado de natureza, não existe pecado, ou, se alguém peca, é contra si mesmo e não contra outrem. Ninguém, com efeito, no estado de natureza, é obrigado a conformar-se, a menos que para tanto tenha vontade, às imposições de outrem nem a achar bom ou mau aquilo que ele próprio julga bom ou mau, segundo o seu modo de ver, e nada é absolutamente defeso pelo direito natural, a não ser o que não se pode fazer (§§ 5 e 8 do presente capítulo). E, bem: que é pecado? É uma ação que não pode ser feita com justiça. Se os homens fossem obrigados, pela instituição natural, a se conduzirem pela razão, todos o seriam, também. Porque as instituições da natureza são instituições de Deus (pelo §§ 2 e 3 do presente capítulo), e Deus as estabelece livremente, tão livremente como Ele existe. Donde se conclui que elas resultam da natureza divina (§ 7 do presente capítulo) e, de conseguinte, são eternas e invioláveis. Mas os homens são, frequentemente, conduzidos pelo apetite desvairado, o que não lhes impede seguir a ordem da natureza, longe de perturbá-la. E eis por que o ignorante, de alma impotente, não pode ser obrigado, pelo direito natural, a governar sua vida com sabedoria, do mesmo modo como o doente não pode ser constrangido a ter um corpo são.

§ 19 — Assim, pois, o pecado não se pode conceber senão numa ordem social onde o bem e o mal são determinados pelo direito comum e onde só se faz com justiça (pelo § 16 do presente capítulo) o que é defeso em lei.

O pecado, com efeito, é (como dissemos no § precedente) o que não pode ser feito com justiça ou o que é defeso em lei. A *obediência,* ao contrário, é a vontade constante de fazer o que a lei declara bom ou o que é conforme a vontade geral.

§ 20 — É uso, todavia, chamar-se *pecado,* também, o que se faz contra o ordenamento da sã razão, e *obediência,* à vontade constante de moderar os próprios apetites, segundo as prescrições da razão. A isto assentiria de bom grado, se a liberdade do homem consistisse no desbragamento do apetite e a sua servidão no império da razão. Mas a liberdade humana é tanto maior quanto o homem seja capaz de conduzir-se pela razão e moderar seus apetites. Não é senão impropriamente que chamamos *obediência* à vida razoável e *pecado* o que, em realidade, é impotência da alma e não liberdade, o que torna o homem mais escravo do que livre (§§ 7, 3 e 11 do presente capítulo).

§ 21 — Todavia, como a razão nos ensina a praticar a piedade e a viver com espírito tranquilo e bom, o que só é possível no estado social, e, além disso, como não se pode fazer que um grande número de homens seja governado por uma só alma (tal qual é exigido para constituir o Estado), se não há um conjunto de leis instituídas segundo as prescrições da razão, não é, pois, por inteiro, impropriamente, que os homens, acostumados como estão a viver em sociedade, chamaram *pecado* o que se faz contra o ordenamento da razão. Ora, por que eu disse (no § 18 deste capítulo) que, no estado de natureza, o homem, se peca, peca contra si mesmo é o que será esclarecido logo (nos §§ 4 e 5 do capítulo 4º) quando mostrar em que sentido poderemos dizer que aquele que governa um Estado e detém em suas mãos o direito natural está submetido às leis e pode pecar.

§ 22 — No concernente à religião, é igualmente certo que o homem é tanto mais livre e tanto mais sujeito a si próprio quanto mais tenha amor a Deus e o honre com mais puro coração. Mas enquanto consideramos, não a ordem da natureza, que nos é desconhecida, mas os sós mandamentos da razão tocantes às coisas religiosas, enquanto, também, notamos que esses mesmos mandamentos nos são revelados por Deus no interior de nós mesmos e foram revelados aos profetas a título de leis divinas, é nesse particular que dizemos que obedecer a Deus é amá-lo de coração puro e que pecar é ser conduzido pela cega paixão. É preciso não esquecer que dependemos do poder de Deus como a argila das mãos do oleiro, o qual tira, da mesma matéria, vasos destinados ao ornamento e vasos destinados ao uso comum.[7] Donde se segue que o homem pode, em verdade, fazer alguma coisa contra esses decretos de Deus, inscritos, a título de leis, seja na nossa alma, seja na alma dos profetas. Mas nada pode contra esse decreto eterno de Deus inscrito na natureza universal e que visa à ordem de todas as coisas.

§ 23 — Assim, pois, como o pecado e a obediência, tomados no sentido mais estrito, só se podem conceber na vida social, assim, pode-se dizer outro tanto da *justiça* e da *injustiça*. Porque nada há na natureza que pertença, em justiça, mais a esse do que àquele. Porém todas as coisas são de todos, e todos têm o direito de se lhes apropriar. Mas, no estado de sociedade, do momento em que o direito comum estabelece o que é desse e o que é daquele, o homem *justo* é aquele cuja vontade constante é a de dar a cada um o que lhe é devido, e homem *injusto*, ao contrário, aquele que se esforça ao fazer seu o que é dos outros.

§ 24 — No referente ao louvor e ao vitupério, explicamos, em nossa *Ética*,[8] que são afecções de alegria e de tristeza, acompanhadas da ideia de virtude ou de impotência do homem, como causa.

Capítulo III — Do direito dos poderes soberanos

§ 1 — Todo Estado, qualquer que seja, forma uma *ordem civil*. O corpo inteiro do Estado chama-se *Cidade,* e os negócios comuns do Estado, os que dependem do chefe do governo, *República*. Chamamos *cidadãos* aos membros do Estado quando gozam de todas as prerrogativas da cidade e *súditos* os que são obrigados a obedecer às instituições e às leis. Enfim, há três espécies de ordens civis. A *democracia,* a *aristocracia* e a *monarquia* (como o dissemos no capítulo precedente, § 17). Antes de tratar de cada uma dessas formas políticas em particular, começarei por estabelecer os princípios concernentes à ordem civil em geral e, antes de tudo, falarei do *direito supremo do Estado,* ou do *direito dos poderes soberanos.*

§ 2 — É evidente, pelo § 15 do capítulo precedente, que o direito do Estado ou dos poderes soberanos outra coisa não é que o próprio direito natural, enquanto é determinado, não pelo poder de cada indivíduo isoladamente, mas pelo da multidão, agindo como uma só alma. Em outros termos, o direito do soberano, como o do indivíduo, no estado de natureza, mede-se pelo seu poder. Donde se segue que cada indivíduo ou súdito tem tanto menos direito quanto o Estado inteiro tem mais poder que ele (§ 16 do capítulo precedente), e, por conseguinte, cada cidadão não tem outro direito que aquele garantido pelo Estado.

§ 3 — Suponde que o Estado concede a um particular o direito de viver a seu modo e, consequentemente, lhe haja dado o poder (porque de outra maneira, em virtude do § 12 do capítulo precedente, ele só lhe houvera dado palavras). Por isso mesmo cede alguma coisa do seu próprio direito e o transfere àquele a quem deu esse direito. Mas, suponde, também, que ele dá esse mesmo direito a dois particulares ou a maior número. Por isso mesmo o Estado se divide.

E, se, enfim, admitirdes que o Estado concede esse poder a todos os particulares, eis o Estado destruído, e volta-se ao estado natural: todas essas consequências resultam, manifestamente, do que procede. Daqui se segue que não se pode conceber, de modo nenhum, que seja permitido, *legalmente,* a cada cidadão de viver a seu modo, e, por conseguinte, esse direito natural, em virtude do qual cada indivíduo é seu juiz próprio, cessa necessariamente na ordem social. Notai que falo expressamente de uma permissão legal, porque, a bem dizer, o direito natural de cada um não desaparece absolutamente na ordem social. O homem, com efeito, na ordem social como na ordem natural, age segundo as leis da sua natureza e zela pelos seus interesses. A principal diferença é que, na ordem social, todos temem os mesmos males e para todos há um só e mesmo princípio de segurança, um só e mesmo modo de viver, o que não arrebata, certamente, a cada indivíduo, a faculdade de julgar. Porque aquele que se determina a obedecer as ordens do Estado, seja por temor ao seu poder, seja por amor à tranquilidade, esse tal, sem contradita, provê, como entende, a sua segurança e zela, como quer, o seu interesse.

§ 4 — Não podemos tampouco conceber que seja permitido, a cada indivíduo, interpretar os decretos e as leis do Estado como entenda. Se, com efeito, se lhe concedeu esse direito, será, então, o seu próprio juiz, pois que poderá, sem esforço, revestir suas ações de aparência legal e, por conseguinte, viver inteiramente a seu bel-prazer, o que é absurdo (pelo § precedente).

§ 5 — Vemos, pois, que cada indivíduo, longe de ser dono de si próprio, deriva do Estado do qual é obrigado a executar todas as ordens e não tem nenhum direito de julgar, justo ou injusto, piedoso ou ímpio. Mas, ao contrário, o organismo do Estado devendo agir como por uma só alma e, em consequência, a vontade do Estado devendo ser cuidada pela vontade de todos, o que o Estado declara justo e bom deve-se considerar como declarado por todos. Donde se segue que, ainda quando um súdito considerasse iníquos os decretos do Estado, não seria menos, por isso, constrangido a obedecê-los.

§ 6 — Mas, dir-se-á, não é contra a razão que um homem se submete, inteiramente, ao julgamento de outro? O Estado civil será, pois, contrário à razão? Donde esta consequência: que a ordem social é sempre desarrazoada e não poder ser constituída senão por homens privados de razão. Respondo que a razão jamais é contrária à natureza e, por conseguinte, que a sã razão não pode ordenar que cada indivíduo seja dono de si próprio, enquanto é sujeito às paixões (pelo § 15 do capítulo precedente). O que vale dizer (pelo § 5 do capítulo primeiro) que, segundo a sã razão, isso é absolutamente impossível. Acrescentai a isto que a razão nos prescreve, imperiosamente, procurar a paz, a qual não é possível senão quando os direitos do Estado sejam preservados de todo atentado, e, em consequência, mais um homem é conduzido pela razão, isto é (pelo § 11 do capítulo precedente), mais ele é livre, mais, constantemente, manterá os direitos do Estado e se conformará às ordens do soberano de quem é súdito. Juntai, ainda, ao dito, que a ordem social é, naturalmente, instituída para afastar o temor comum e libertar as misérias comuns, e, por conseguinte, tende principalmente a assegurar a seus membros os bens que todo homem, conduzido pela sua razão, esforçar-se-ia por procurar na ordem natural, embora inutilmente (pelo § 15 do capítulo precedente). Eis por que, se um homem, conduzido pela razão, é forçado, algumas vezes, a fazer, por decreto do Estado, o que ele sabe ser contrário à razão, esse prejuízo é compensado pela vantagem do bem que ele retira da própria ordem social. Porque é, também, uma lei da razão que entre dois males é preciso escolher o menor, e, por conseguinte, pode-se concluir que, de nenhum modo, um cidadão, que age segundo a ordem do Estado, faça o que quer que seja contrário às prescrições da sua razão, e é o em que toda gente comigo vai concordar, quando explicar até aonde se estende o poder e, portanto, o direito do Estado.

§ 7 — E, primeiramente, com efeito, assim como no estado de natureza, o homem mais poderoso e que mais se pertence a si próprio é o que é conduzido pela razão (em virtude do § 11 do capítulo precedente), assim, o Estado mais poderoso e mais senhor de si próprio é o Estado que é fundado na razão e por ela dirigido. Porque o direito do Estado é determinado pelo poder da multidão, enquanto é conduzida por uma só e única alma. Ora, a união das almas não se poderia conceber de forma alguma se o Estado não se propusesse pôr fim principal ao que é reconhecidamente útil a todos pela sã razão.

§ 8 — É preciso considerar, em segundo lugar, que se os súditos não se pertencerem a si próprios, mas ao Estado, é enquanto temem seu poder ou suas ameaças, isto é, enquanto amam a vida social (pelo § 10 do capítulo precedente). Donde se segue que todos os atos aos quais ninguém pode ser determinado por promessas ou por ameaças não caem sob o domínio do Estado. Ninguém, por exemplo, pode renunciar à faculdade de raciocinar. Por que recompensas, com efeito, ou por que promessas, levareis um homem a crer que o todo não é maior que a sua parte, ou que Deus não existe, ou que o corpo que vê finito é o ser infinito, e, geralmente, a crer o contrário do que sente e pensa? E assim, do mesmo modo, por que recompensas ou por que ameaças o decidireis a que ame o que odeia e a que odeie o que ama? Digo outro tanto desses atos pelos quais a natureza humana sente repugnância tão viva que os considera como os maiores males, por exemplo, que um homem dê testemunho contra si mesmo, que se torture, que mate seus pais, que não se esforce por evitar a morte, e outros casos semelhantes em que não podem valer a recompensa nem a ameaça. Se queremos dizer, algumas vezes, que o Estado tem o direito ou o poder de dirigir tais atos, não poderia ser senão no mesmo sentido em que se diz que o homem tem o direito de cair em demência ou de delirar. Com efeito, um direito, ao qual ninguém pode ser constrangido, outra coisa será que um delírio? E falo, aqui, expressamente desses atos que não podem cair sob os direitos do Estado e que a natureza humana geralmente repele. Porque um cretino ou um louco não possa ser levado por nenhuma promessa nem por nenhuma ameaça, a executar as ordens do Estado, que tal ou qual indivíduo, somente porque é prosélito de tal ou qual religião, esteja persuadido que os direitos do Estado são os maiores males, nem por isso tais direitos são eivados de nulidades, porque o maior número dos cidadãos continua a lhes reconhecer o império. E, por conseguinte, como os que não temem nem esperam nada quanto a isso, não aguardam mais que deles próprios (pelo § 10 do capítulo precedente), segue-se que são inimigos do Estado (pelo § 14 do mesmo capítulo) e se tem o direito de submetê-los pela força.

§ 9 — Deve-se notar, em terceiro lugar, que decretos capazes de provocar a indignação no coração do maior número dos cidadãos não fazem parte, desde então, do direito do Estado. Porque é certo que os homens tendem, naturalmente, a se associar, desde que têm ou sofrem um temor comum ou o desejo de vingar um prejuízo comum. Ora, sendo o poder do Estado, por definição e por medida, o poder comum da massa, segue-se que o poder e o direito do Estado diminuem tanto mais quanto o Estado mesmo conceda a um maior número de indivíduos razões de se associarem em um agravo comum. Acontece o mesmo para o Estado como para os indivíduos. Há, para esse Estado também, motivos de temor, e mais os temores crescem, menos senhor de si mesmo fica.

Eis o que tinha a dizer dos direitos dos poderes soberanos quanto aos súditos. Agora, antes de tratar dos seus direitos quanto aos estrangeiros, há uma questão, a propósito, a resolver: é a que se costuma levantar, tocante à Religião.

§ 10 — Com efeito, pode-se-nos objetar: é que o estado social e a obediência que exige dos seus súditos não destroem a religião que nos obriga em relação a Deus? Ao que respondemos que, se calcularmos bem as coisas, todo escrúpulo desaparecerá. Com efeito, a alma, enquanto usa de razão, não pertence aos poderes soberanos, mas se pertence a si própria (pelo § 11 do capítulo precedente). Por conseguinte, o verdadeiro conhecimento e o amor de Deus não podem estar sob o império de quem quer que seja, mais do que a caridade para com o próximo (pelo § 8 do mesmo capítulo). E se considerarmos, além disso, que a verdadeira obra de caridade é o esforço para manutenção da paz e estabelecimento da concórdia, não duvidaremos que essa não cumpra verdadeiramente seu dever, que é o de dar auxílio a cada um na medida compatível com os direitos do Estado, isto é, com a concórdia e a tranquilidade.

No que concerne aos cultos exteriores, é certo, não podem ser nem um auxílio nem um obstáculo ao verdadeiro conhecimento de Deus, e ao amor que dele resulta, necessariamente. Donde se segue que é preciso não lhes dar muita importância, para comprometer, por causa deles, a paz e a tranquilidade pública. É certo, de resto, que eu, simples particular, não sou, em virtude do direito natural, isto é (pelo § 3 do capítulo precedente), em virtude do decreto divino, não sou, digo, o defensor da religião. Porque não tenho, como outrora os discípulos do Cristo, o poder de expulsar os espíritos imundos e de fazer milagres. Ora, esse poder é de tal modo necessário para propagar a religião aos lugares em que ela é interdita que, sem ele, como se costuma dizer, são perdidos o nosso tempo e o nosso latim, como, ainda, se expõe um a ser molestado de mil modos, e, além disso, produzem-se muitos males: todos os séculos dão exemplo desses excessos funestos. Todo homem, pois, em qualquer lugar que esteja, pode desincumbir-se, para com Deus, das obrigações da religião verdadeira e cuidar da sua própria salvação, o que é o dever de um particular. Quanto ao cuidado de propagar a religião, é coisa de que Deus mesmo se incumbe ou os poderes soberanos, únicos encarregados dos interesses da coisa pública. E voltemos ao nosso tema.

§ 11 — O direito dos poderes soberanos sobre os cidadãos e o dever dos súditos tendo sido precedentemente explicados, resta considerar o direito desses mesmos poderes sobre os estrangeiros, o que se deduzirá, facilmente, dos princípios mais acima estabelecidos. Com efeito, dado que (pelo § 2 do presente capítulo) o direito do soberano outra coisa não é que o próprio direito natural, segue-se que dois impérios são, um em relação ao outro, como são duas pessoas em estado de natureza, com a só diferença de que um império se pode preservar da opressão estrangeira, e o indivíduo é incapaz de fazê-lo no estado de natureza, esmagado, como está, todos os dias, pelo sono e, com frequência, pela doença ou pelas inquietudes morais, pela velhice, enfim, sem falar de mil outros inconvenientes de que um império se pode forrar.

§ 12 — Assim, pois, um Estado se pertence a si mesmo enquanto pode velar pela sua própria conservação e garantir-se da opressão estrangeira (pelos §§ 9 e 15 do capítulo precedente). Cai sob o direito de outro, enquanto teme a potência de um outro Estado (pelos §§ 10 e 15 do mesmo capítulo), ou, bem, enquanto esse Estado o impede de fazer o que lhe convém, ou, ainda enquanto tem necessidade desse Estado para conservar-se e dilatar-se. Porque, se dois Estados se querem dar mútua ajuda, é claro que ambos terão mais poder e, consequentemente, mais direito, que cada um isolado (pelo § 13 do capítulo precedente).

§ 13 — Isto pode ser compreendido mais claramente se considerarmos que dois Estados são naturalmente inimigos. Os homens, com efeito, no estado natural, são inimigos uns dos outros (pelo § 14 do capítulo precedente). Aqueles, pois, que, não fazendo parte do mesmo Estado, conservam, um diante do outro, as relações do direito natural, são inimigos. Eis por que, se um Estado quer declarar guerra a um outro Estado e usar de meios extremos para sujeitá-lo, pode fazê-lo a bom direito, porque, para fazer a guerra, basta apenas querê-lo. Outro tanto não sucede com a paz. Porque um Estado não pode concluí-la senão com o consentimento do outro. Donde se segue que o direito da guerra pertence a qualquer Estado, mas o direito da paz não cabe a um só Estado, mas, ao menos, a dois, que recebem, em tais casos, o nome de Estados Confederados.

§ 14 — Esse pacto de aliança dura o tempo que a causa que o produz, quero dizer, o temor de um prejuízo ou a esperança de uma vantagem. Esse temor ou essa esperança vindo a cessar, por parte de qualquer dos dois Estados, fica ele senhor da sua conduta (pelo § 10 do capítulo precedente), e o laço que os unia nessa confederação quebra-se imediatamente. Por conseguinte, cada Estado tem o pleno direito de romper a aliança quando quiser. E não se pode acusá-lo de doloso ou de pérfido, por ter-se negado ao cumprimento da sua palavra, quando cessou de temer ou de se esperançar. Porque havia, para cada uma das partes contratantes, a mesma condição, a saber, que a primeira que se pusesse fora de temor recobrasse o seu domínio e ficasse livre de agir a seu grado. E, demais, ninguém contrata para o futuro senão em face das condições exteriores. Ora, essas circunstâncias, vindo a se modificar, a situação toda inteira modifica-se igualmente e, consequência: um Estado toma sempre o direito de cuidar dos seus interesses e, em resultado, esforça-se, tanto quanto em si está, por se pôr fora do temor, isto é, não depender senão de si mesmo, para impedir que um Estado não se torne mais forte que ele. Se, pois, um Estado se queixa de ter sido enganado, não é a boa-fé do Estado aliado que ele pode acusar, mas a sua própria parvoíce de ter confiado a sua salvação a um Estado estrangeiro, o qual não deve depender senão de si mesmo e visa à sua própria salvação, como a lei suprema.

§ 15 — É aos Estados que fizeram, em conjunto, um trabalho de paz, que pertence o direito de resolver as questões que podem surgir sobre as condições da paz e sobre as estipulações reciprocamente combinadas. Os direitos da paz, com efeito, não pertencem a um só Estado, mas a todos os que contrataram em conjunto (pelo § 13 do presente capítulo). Donde se segue que, se não se chega a acordo sobre esses pontos, surge o estado de guerra.

§ 16 — Mais há Estados que combinam a paz em conjunto, e menos cada um deles está obrigado aos outros, e menos, por conseguinte, cada um deles tem o poder de fazer a guerra. Porém, mais é obrigado a ficar fiel às condições da paz, isto é, menos dispõe de si mesmo, e mais é constrangido a se acomodar à vontade comum dos confederados.

§ 17 — Finalmente, não pretendemos aniquilar a boa-fé, essa virtude que nos é igualmente ensinada pela razão e pela Santa Escritura. Nem a razão, com efeito, nem a Escritura nos ensinam a guardar toda espécie de promessa. Por exemplo, se prometi a alguém guardar-lhe uma soma de dinheiro, desfaço minha promessa no momento em que saiba ou creia saber que esse dinheiro é produto de roubo. Agirei muito melhor, tratando de restituí-lo ao seu legítimo proprietário. Assim, quando um soberano aliou-se a um outro e mais tarde o tempo ou a razão lhe fazem ver que essa aliança é contrária à salvação comum dos súditos, não deve mais observá-la. A Escritura não prescrevendo, pois, a não ser de modo geral, o guardar sua palavra, deixando ao julgamento de cada um os casos particulares que devem ser excetuados, segue-se que nada há na Escritura que contrarie o que acima estabelecemos.

§ 18 — Mas, a fim de que não seja necessário interromper tão frequentemente o fio do discurso e resolver semelhantes objeções, advirto o leitor que demonstrei todos os meus princípios apoiando-me na necessidade da natureza humana tomada em geral, isto é, no esforço universal que os homens fazem para se conservar, o qual é inerente a todos, sábios ou ignorantes. E, por conseguinte, em qualquer condição que considereis os homens, sejam conduzidos pela paixão ou pela razão, a conclusão será a mesma, porque, como já disse, a demonstração é universal.

Capítulo IV — Dos grandes negócios do Estado

§ 1 — Cogitamos, no capítulo precedente, do direito dos poderes soberanos, o qual é determinado pelo seu poder, e vimos que o que o constitui, essencialmente, é que ele é uma espécie de alma do Estado que dirige todos os cidadãos. Donde se segue que só ao soberano pertence decidir o que é bom ou mau, o que é justo ou injusto. Em outros termos, o que convém a todos ou a cada um fazer ou não fazer. É, pois, só ao soberano concedido fazer as leis e, quando surge uma dificuldade sobre isso, interpretá-las para cada caso particular e decidir se o caso dado é conforme ou não conforme a lei (v. os §§§ 3, 4 e 5 do capítulo precedente). Ainda é a ele que pertence fazer a guerra ou apresentar as condições da paz, oferecer ou aceitar as que são oferecidas (v. §§ 12 e 13 do mesmo capítulo).

§ 2 — Ora, todos esses temas, assim como os meios de execução necessários, sendo coisas que visam ao corpo inteiro do Estado, isto é, a República, segue-se que a República depende inteiramente da só direção de quem tem o soberano poder. E, por conseguinte, só a ele pertence o direito de julgar os atos de cada um, de exigir, de cada um, as razões de seus atos, de ferir com pena os delinquentes, resolver as dificuldades que se surgem entre os cidadãos ou de fazer regulá-las, em seu lugar, por homens hábeis no conhecimento das leis. Depois, empregar e dispor todas as coisas necessárias à guerra e à paz, assim como fundar e fortificar cidades, alistar soldados, distribuir empregos militares, dispor ordens para tudo que deve ser feito, enviar e receber embaixadores que visem à paz, exigir contribuições de dinheiro para esses diferentes objetivos.

§ 3 — Assim, pois, dado que só ao soberano pertence tratar os negócios públicos ou escolher, para isso, agentes apropriados, segue-se que é aspirar a ser chefe de Estado empreender qualquer negócio público, sem participação da assembleia suprema, quando mesmo se creia agir em bem do Estado.

§ 4 — Mas eis uma questão que se costuma levantar: o soberano está submetido a leis? Pode ele pecar? Respondo que as palavras lei e pecado, não tendo somente relação com a condição social, mas também com as regras comuns que governam todas as coisas naturais e particularmente com as regras da razão, não se pode dizer, de modo absoluto, que o Estado não esteja sujeito a qualquer lei e que não possa pecar. Se, com efeito, o Estado não estivesse sujeito a nenhuma lei, a nenhuma regra, mesmo àquelas sem as quais o Estado deixaria de ser Estado, então o Estado de que falamos não seria uma realidade, mas uma quimera. O Estado peca, pois, quando faz ou quando sofre atos que podem ser causas de sua ruína, e, nesse caso, dizendo que ele peca, falamos no mesmo sentido em que o filósofo e os médicos dizem que a Natureza peca. Donde se segue, que se pode dizer, nesse ponto de vista, que o Estado peca quando age contra as regras da razão. Sabemos, com efeito, (pelo § 7 do capítulo precedente) que o Estado é tanto mais senhor de si mesmo quanto mais age segundo a razão. Então, pois, quem age contra a razão falta a si mesmo: peca. E tudo isso poderá ser mais bem compreendido, se considerarmos que, quando se diz que cada um pode fazer de uma coisa que lhe pertence tudo o que quer, esse poder deve ser definido, não pela só potência do agente, mas, também, pela aptidão do próprio paciente. Quando afirmo, por exemplo, que tenho o direito de fazer dessa mesa o que quero, seguramente não entendo que tenha o direito de forçá-la a comer capim. Assim, pois, embora digamos que os homens na ordem social não pertençam a si mesmos, mas ao Estado, não entendemos, por isso, que os homens percam a natureza humana e adquiram uma outra, nem, por conseguinte, que o Estado tenha o direito de fazer que os homens adquiram asas, ou, o que é a mesma coisa, que vejam com respeito o que excita o seu riso ou a sua repugnância. Mas entendemos que existe um conjunto de circunstâncias, que, apresentadas, dão em resultado, para os homens, sentimentos de respeito e de temor ao Estado, os quais, ao contrário, ao serem suprimidos, o temor e o respeito se esvanecem e o Estado mesmo não existe mais. Por conseguinte, o Estado, para pertencer a si mesmo, é obrigado a conservar as causas de temor e de respeito. De outro modo, deixa de ser Estado. Se o chefe do Estado corre, bêbado e nu, com meretrizes pelas praças públicas, faça de histrião, menospreze abertamente as leis que ele mesmo elaborou, é impossível que, agindo por essa forma, conserve a majestade do poder, como é impossível existir e não existir ao mesmo tempo. Agregai que matar, espoliar os cidadãos, violar as virgens e outras ações semelhantes, tudo isso muda o temor em indignação e, de conseguinte, o Estado social é um Estado de hostilidade.

§ 5 — Vemos, pois, em que sentido podemos dizer que o Estado está sujeito a leis e pode pecar. Mas se por lei entendemos o direito civil ou o que pode ser reivindicado em nome desse mesmo direito civil, e por pecado o que é defeso em virtude do direito civil; se, noutros termos, os vocábulos lei e pecado são compreendidos em seu sentido ordinário, não vemos mais, então, nenhuma razão de dizer que o Estado seja sujeito a leis e nem possa pecar. Com efeito, se o Estado é obrigado a manter em seu próprio interesse certas regras, certas causas de temor e de respeito, não é em virtude de direitos civis, mas em virtude de direito natural, pois que (pelo § precedente) nada disto pode ser reivindicado em nome do direito civil, mas, somente, pelo direito da guerra. Assim o Estado só está sujeito a essas regras no mesmo sentido em que o homem, no estado natural, é obrigado, a fim de ser senhor de si mesmo e não ser seu inimigo, de tomar tento em não se matar a si próprio. Ora, aí não está a obediência, mas a liberdade da natureza humana. Quanto aos direitos civis, dependem do só decreto do Estado. E o Estado, por conseguinte, não é obrigado, para continuar livre, senão a agir a seu grado, e não ao grado de um outro. Nada o obriga a achar o que quer que seja bom ou mau, senão o que ele decide ser-lhe bom ou mau a si mesmo. Donde se segue que ele tem não somente o direito de se conservar, de fazer as leis, de as interpretar, mas, também, o direito de as ab-rogar e de conceder graça a um acusado qualquer, na plenitude de seu poder.

§ 6 — Quanto aos contratos ou às leis pelas quais a multidão transfere o seu próprio direito às mãos de uma assembleia ou de um homem, sem dúvida que se deva violá-las quando se trata da salvação comum. Mas em que casos a salvação comum exige que se violem ou se observem as leis? É uma questão que nenhum particular tem o direito de resolver (pelo § 3 do presente capítulo). Esse direito só pertence àquele que detém o poder e que é o único que interpreta as leis.

Agregai a isto que nenhum particular pode, em bom direito, reivindicar essas leis. Donde se segue que elas não obrigam àquele que detém o poder. Se, todavia, são elas de tal natureza que não se possa violá-las sem enfraquecer, ao mesmo tempo, a força do Estado, isto é, sem substituir a indignação ao temor no coração da mor parte dos cidadãos, desde então, pelo fato da sua violação, o Estado é dissolvido, o contrato quebra-se e o direito da guerra substitui o direito civil. Assim, pois, aquele que mantém o poder não é obrigado a conservar as condições do contrato social senão no mesmo sentido em que é um homem no estado natural, a fim de se guardar de ser seu próprio inimigo, obrigado a cuidar-se de não se dar morte, como foi explicado no parágrafo precedente.

Capítulo V — Da melhor condição possível para um Estado

§ 1 — Mostramos, no capítulo 2, § 11, que o homem se pertence mais a si mesmo quanto mais é governado pela razão, e, em consequência (vede capítulo 3, § 3), que o Estado mais poderoso e o mais senhor de si é aquele que é fundado e dirigido pela razão. Ora, o melhor sistema de conduta para se conservar, tanto quanto possível, sendo aquele que se regula nos mandamentos da razão, segue-se que tudo que faz um homem ou um Estado, enquanto se pertence o mais possível a si mesmo, tudo isso é perfeitamente bom. Porque não é a mesma coisa agir segundo o seu direito e agir perfeitamente bem. Cultivar seu campo segundo seu direito é uma coisa, e cultivá-lo perfeitamente bem é outra coisa. E, assim, há diferença entre defender-se, conservar-se, exarar um julgamento conforme ao seu direito e fazer tudo isso perfeitamente bem. Logo, o direito de ocupar o poder e o de cuidar dos negócios do Estado não devem ser confundidos com o melhor uso possível do poder e o melhor governo. Eis por que, tendo tratado precedentemente do direito do Estado em geral, é chegado o momento de tratar da melhor condição possível de cada Estado em particular.

§ 2 — A condição de um Estado determina-se facilmente por sua relação com o fim geral do Estado, que é a paz e a segurança da vida. Por conseguinte, o melhor Estado é aquele em que os homens passam a sua vida na concórdia e onde os seus direitos não recebam nenhum atentado. Também é certo que as sedições, as guerras, o menosprezo ou a violação das leis devem ser imputados, menos à maldade dos súditos do que à má organização do poder. Os homens não nascem próprios ou impróprios à condição social, senão que tais se tornam. Notai, aliás, que as paixões naturais dos homens são as mesmas em toda parte. Se, pois, o mal tem mais império em tal Estado e se aí se cometem mais ações culpáveis que em outro qualquer, isso se deve certissimamente a que esse Estado não tenha provido bastante a concórdia, que ele não tenha instituído leis sábias e, por conseguinte, não haja entrado em plena posse do direito absoluto do Estado. Com efeito, a condição de uma sociedade onde as causas de sedição não foram suprimidas, onde a guerra é continuamente de temer-se, onde, enfim, as leis são frequentemente violadas, um tal Estado difere pouco da condição natural em que cada indivíduo leva uma vida conforme sua fantasia e sempre grandemente ameaçado.

§ 3 — Ora, assim como é preciso imputar à organização do Estado os vícios de seus súditos, seu gosto pela extrema licença e seu espírito de revolta, assim, é à virtude do Estado, é ao seu direito plenamente exercido que é preciso atribuir as virtudes dos súditos e seu apego às leis (como resulta do § 15 do capítulo segundo). Eis por que tem-se razão de ver, como nota de mérito superior em Aníbal, não haver-se verificado jamais, em seu exército, uma única sedição.[9]

§ 4 — Num Estado onde os súditos não se levantam em armas pelo só motivo de que os paralisa o temor, tudo o que se pode dizer é que não há guerra, mas não se pode dizer que haja paz. Porque a paz não é ausência da guerra. A paz é a virtude que nasce do vigor da alma, e a verdadeira obediência (pelo § 19 do capítulo segundo) é a vontade constante de executar tudo que deve ser feito segundo a lei comum do Estado. Assim, uma sociedade onde a paz não tenha outra base que a inércia dos cidadãos, os quais se deixam conduzir como rebanho e não se exercitam senão na escravidão, não é uma sociedade, é um ermo, uma solidão.

§ 5 — Quando, pois, disse que o melhor governo é aquele em que os homens passam a vida na concórdia, entendo, por isso, uma vida humana, uma vida que não se define pela circulação do sangue e outras funções comuns a todos os animais, mas, antes de tudo, pela verdadeira vida da alma, pela razão e pela virtude.

§ 6 — Mas é preciso notar que, falando do governo instituído para um tal fim, entendo aquele que uma multidão livre estabeleceu e não aquele que foi imposto a uma multidão pelo direito da guerra. Uma multidão livre, com efeito, é conduzida pela esperança mais do que pelo temor. Uma multidão subjugada, ao contrário, é conduzida pelo temor mais que pela esperança. Aquela esforça-se por cultivar a vida. Essa só procura evitar a morte. A primeira quer viver por si mesma, a segunda é constrangida a viver para o vencedor. Eis por que dizemos que uma é livre e a outra é escrava. Assim, pois, o fim do governo, quando cai nas mãos do vencedor pelo direito da guerra, é dominar e ter escravos mais do que súditos. E embora não haja entre o governo instituído por uma multidão livre e aquele que é adquirido pelo direito da guerra nenhuma diferença essencial, se considerarmos o direito de cada um de maneira geral, vemos que o fim a que cada um se propõe, como já o demonstramos, e seus meios de conservação são diferentíssimos.

§ 7 — Quais são, para um príncipe animado da só paixão de dominar, os meios de conservar e de consolidar o seu governo? É o que já mostrou, muito longamente, o penetrantíssimo Maquiavel. Mas com que objetivo escreveu ele o seu livro? Eis o que não transparece muito claramente. Se teve um objetivo honesto, como se deve esperar de um homem sábio, quis, aparentemente, fazer ver qual é a imprudência dos que se esforçam em suprimir um tirano quando é impossível suprimir as causas que o fizeram tirano. Essas causas mesmas tornam-se tanto mais potentes quanto se dá ao tirano maiores razões de ter medo. É o que acontece quando uma multidão pretende dar o exemplo e se regozija de um regicídio como de boa ação. Maquiavel talvez quisesse mostrar como uma multidão livre se deve precaver de confiar, exclusivamente, a um homem a sua salvação, o qual, a menos de estar cheio de vaidade e de se crer capaz de contentar a toda gente, deve temer, todo dia, ciladas, o que o obriga a cuidar sem cessar da sua própria segurança e de estar mais ocupado em estender armadilhas à multidão do que cuidar de seus interesses. Inclino-me a interpretar, assim, o pensamento desse hábil homem, que sempre foi pela liberdade e propinou conselhos salutaríssimos sobre os meios de defendê-la.

Capítulo VI — Da monarquia

§ 1 — Sabido que os homens se conduzem mais pela paixão do que pela razão, como mais acima se disse, segue-se que, se uma multidão vem a reunir-se naturalmente e não formar mais que uma alma, não é por inspiração da razão, mas por efeito de qualquer paixão comum, tal como a esperança, o temor ou o desejo de se vingar de qualquer prejuízo (como explicado foi no § 9 do capítulo III). Ora, como o temor da solidão é inerente a todos os homens, porque nenhum, na solidão, tem forças suficientes para se defender nem para procurar as coisas indispensáveis à vida, é uma consequência necessária que os homens desejam naturalmente um estado de sociedade, e não se pode fazer que jamais o quebrem inteiramente.

§ 2 — Que sucede, pois, como consequência das discórdias e das sedições frequentemente desencadeadas no Estado? Os cidadãos jamais destroem a Cidade (como se vê em outras associações), mas mudam-lhe a forma quando de outro modo não se pode pôr termo às dissensões. Eis por que, quando falo dos meios exigidos para a conservação do Estado, quero falar dos que são necessários para conservar a forma do Estado sem nenhuma mudança notável.

§ 3 — Se a natureza humana fosse feita de tal modo que os homens desejassem acima de tudo o que acima de tudo lhes é útil, não haveria necessidade de nenhuma arte para estabelecer a concórdia e a boa-fé. Mas como as coisas não seguem esse caminho, é preciso constituir um Estado, de tal modo, que todos, governantes e governados, façam, bom grado ou malgrado, o que importe ao bem comum, isto é, que todos, espontânea ou constrangidamente, e por necessidade, sejam forçados a viver consoante as prescrições da razão, e, assim sucederá, quando as coisas sejam organizadas de tal modo que nada do que interessa à salvação comum seja exclusivamente confiado à boa-fé de nenhum indivíduo. Com efeito, nenhum indivíduo é de tal modo vigilante que uma ou outra vez não venha a cochilar, e jamais homem possuiu uma alma tão potente e tão inteiriça para não se deixar vencer e dominar em nenhuma ocasião, principalmente naquelas em que é preciso desprender um extraordinário vigor de alma. E, certamente, é tolice exigir de outrem o que não se pode obter de si próprio e pedir a um homem que cuide dos outros mais do que de si próprio, que não seja nem avaro, nem invejoso, nem ambicioso etc. quando esse homem está justamente exposto todos os dias às excitações mais fortes da paixão.

§ 4 — De outro lado, a experiência parece ensinar que importa à paz e à concórdia que todo poder seja confiado a um só. Nenhum governo, efetivamente, perdurou por mais tempo que o dos turcos, sem qualquer notável mudança, e, ao contrário, não há maiores mutações que nos governos populares ou democráticos frequentemente abalados por sedições. É verdade, se se dá o nome de paz à escravidão, à barbárie e à solidão, nada mais desgraçado para os homens do que a paz. Certamente, as discórdias entre pais e filhos são mais frequentes e mais acerbas que as entre senhores e escravos. E, todavia, não é de boa economia social que o direito paterno seja mudado em direito de propriedade e que os filhos sejam tratados como escravos. É, pois, em vista da servidão e não da paz que importa concentrar todo o poder na mão de um só. Porque a paz, como já foi dito, não consiste na ausência da guerra, mas na união dos corações.

§ 5 — E, certamente, os que creem que é possível que um só homem possua o supremo direito do Estado laboram num estranho erro. O direito, com efeito, mede-se pelo poder, como já o mostramos, no capítulo segundo. Ora, o poder de um só homem é sempre insuficiente para sustentar um tal peso. Donde se segue que aquele que a multidão elegeu rei procure rodear-se dos governadores, conselheiros e amigos, aos quais confie sua salvação própria e a salvação de todos, de modo que o governo que se crê absolutamente monárquico, é, na realidade, aristocrático. Isso não de maneira aberta, mas oculta, e quanto mais oculta, pior. Agregai a isto que um rei, se é criança, doente ou achacoso de velhice, não é rei senão de maneira muito precária. Os verdadeiros senhores do poder soberano são os que administram os negócios ou os que assistem junto ao rei, e não falo do caso em que o rei, entregue às orgias, governe todas as coisas ao grado de tais ou quais de seus mandantes ou de qualquer favorita. "Ouvi contar, diz Orcines, que outrora, na Ásia, as mulheres reinaram. Mas o que é novo é ver reinar um castrado."[10]

§ 6 — É certo, além disso, que, quando um Estado está em perigo, é sempre devido mais aos cidadãos que a todos os inimigos exteriores. Porque os bons cidadãos são raros. Donde se segue que aquele a quem se deferiu todo o direito do Estado temerá sempre os cidadãos mais que os inimigos e velará, acima de tudo, pelos seus interesses próprios, e menos se ocupará em tomar sentido dos seus súditos do que em lhes estender ardis, a esses, sobretudo, que são ilustres por sua sabedoria e poderosos por sua fortuna.

§ 7 — Acrescentai que os reis mais temem do que amam a seus filhos, e esse temor é tanto mais forte quanto os filhos mostrem mais capacidade para as artes da paz e para as da guerra e se tomem mais queridos aos súditos por suas virtudes. Também os reis não devem descurar de lhes dar educação, que não lhes dê nenhum motivo de temor. Nisto são muitíssimo bem servidos por seus áulicos, que põem todos os seus cuidados em preparar ao rei um sucessor ignorante que possam manejar às direitas.

§ 8 — Segue-se de tudo isto que o rei é tanto menos senhor de si próprio e que a situação dos súditos é tanto mais miserável à medida que o direito do Estado é transferido mais completamente a um só indivíduo. É, pois, uma coisa necessária, se se quer estabelecer convenientemente o governo monárquico, dar-lhe fundamentos tão sólidos para que o monarca esteja em segurança e a multidão em paz, de tal sorte, enfim, que o monarca mais ocupado do bem da multidão seja, também, aquele que é mais senhor de si. Ora, quais são essas condições fundamentais do governo monárquico? Primeiramente vou indicá-las em poucas palavras, para retomá-las, em seguida, e demonstrá-las em ordem metódica.

§ 9 — É preciso, primeiramente, fundar e fortificar uma ou mais cidades, nas quais todos os indivíduos já habitem no interior dos seus muros, já nos seus campos gozem dos mesmos direitos, sob condição, todavia, de que cada uma dessas cidades tenha para sua própria e para defesa comum um número determinado de cidadãos. E a que não pode preencher essa condição deve ser posta em dependência sob outras cláusulas.

§ 10 — O exército deve ser formado, sem exceção, só de cidadãos. É preciso, pois, que todos os cidadãos possuam armas e que nenhum seja admitido no número dos cidadãos senão depois de estar exercitado nas manobras militares e de ter tomado compromisso de continuar essa educação guerreira, em épocas determinadas. A milícia, fornecida por todas as famílias, sendo dividida em coortes e legiões, ninguém deverá ser eleito chefe de coortes senão sob condição de saber estratégia. Os chefes das coortes e das legiões serão vitalícios. Mas é durante a guerra somente que é preciso dar um chefe a toda milícia, fornecida por uma família, e não se deverá encarregá-lo do comando supremo mais que por um ano, sem que seja permitido continuá-lo no seu comando nem ser designado de novo. Esses generais em comando serão escolhidos entre os conselheiros do rei (dos quais filaremos nos §§ 25 e seguintes) ou entre os que exerceram tal função.

§ 11 — Os habitantes de todas as cidades, compreendidos os camponeses, em uma palavra, todos os cidadãos devem ser divididos por famílias, que se distinguirão uma das outras pelo nome e por qualquer insígnia. Todos os adolescentes saídos dessas famílias serão recebidos no número dos cidadãos, e seus nomes serão inscritos no registro de suas famílias logo que chegarem à idade de levar armas e conhecer o seu dever. Excetuemos somente os que se infamaram devido à prática de crimes, os mudos, os loucos, enfim, os domésticos, que vivem de qualquer ofício servil.

§ 12 — Que os campos e todo o solo, e, se possível, as próprias casas, pertençam ao Estado, isto é, àquele que é depositário do direito do Estado, a fim de que as alugue, mediante um pagamento anual, aos habitantes das cidades e aos agricultores. Sob essa condição todos os cidadãos estarão isentos de qualquer contribuição extraordinária durante a paz. Da renda percebida, uma porção será tomada para as necessidades do Estado, e outra, para o uso doméstico do rei. Porque em tempos de paz é necessário fortificar as cidades, prevendo a guerra e, além disso, estar aparelhado de armada e outros meios de defesa.

§ 13 — Sendo o rei escolhido em certa família, não se deverá ter por nobres senão as pessoas derivadas de seu sangue, e essas, em consequência, serão distinguidas por insígnias reais, de sua própria família e das outras.

§ 14 — Será interdito aos nobres do sexo masculino, que forem próximos parentes do rei, em terceiro ou quarto grau, contratar casamento, e, se tiverem filhos, se considerarão como ilegítimos, incapazes de toda dignidade, excluídos, enfim, da sucessão de seus pais e cujos bens serão devolvidos ao rei.

§ 15 — Os conselheiros do rei, os que estão mais perto de si e têm o segundo lugar devem ser numerosos e sempre escolhidos exclusivamente entre os cidadãos. Assim se tomará em cada família (suponho que o número das famílias não exceda de seiscentos) três, quatro ou cinco pessoas, e formarão, em conjunto, um dos membros do conselho do rei. Não serão nomeados vitaliciamente, mas por três, quatro ou cinco anos, de tal modo que todos os anos o terço, o quarto ou o quinto do conselho seja reeleito. É necessário ter cuidado com essa eleição; que cada família forneça, ao menos, um conselheiro versado na ciência do direito.

§ 16 — Será o rei que fará a eleição. Na época do ano fixada para escolha dos novos conselheiros, cada família deve remeter ao rei os nomes de todos aqueles dos seus membros que tenham atingido cinquenta anos e que tenham sido regularmente proclamados candidatos para essa função. O rei escolhe quem bom lhe pareça. No ano em que o jurisconsulto de uma família deve suceder a outro, remeter-se-á somente o nome dos jurisconsultos. Os conselheiros que se libertarem desse ofício, durante o tempo fixado, não podem ser reeleitos nem reinscritos na lista dos elegíveis senão depois de um intervalo de cinco anos ou mais. Ora, por que motivo será necessário eleger cada ano um membro de cada família? É a fim de que o conselho não seja composto ora de noviços sem experiência, ora de veteranos experimentados: inconveniente que seria inevitável se todos se retiram ao mesmo tempo para serem substituídos por membros novos. Mas se se elege cada ano um membro de cada família, então os noviços formarão apenas o quinto, o quarto ou quando muito o terço do Conselho. Se o rei, impedido por outros negócios ou por qualquer outra razão, não puder um dia ocupar-se dessa eleição, os conselheiros mesmos elegerão seus novos colegas por certo tempo, até que o rei mesmo escolha outros ou ratifique a escolha do Conselho.

§ 17 — O primeiro ofício do Conselho é defender os direitos fundamentais do Estado, opinar sobre os negócios públicos, de modo que o rei saiba as medidas que deve tomar para o bem geral. Necessitará, por conseguinte, que não seja permitido ao rei estatuir sobre nenhum negócio antes de ter ouvido o parecer do Conselho. Se o Conselho não é unânime, se nele existem opiniões contrárias mesmo depois que a questão houver sido debatida duas ou três vezes consecutivas, convirá, então, não procrastinar, mas submeter ao rei as opiniões opostas, como o explicamos no § 25 do presente capítulo.

§ 18 — O mister do Conselho será, além disso, promulgar as instituições ou decretos do rei, velar pela execução das leis do Estado, enfim, tomar tento de toda administração do Império como se fossem vigários do rei.

§ 19 — Os cidadãos não terão nenhum acesso junto ao rei a não ser por intermédio do Conselho, e é ao Conselho que precisará remeter todos os pedidos e súplicas, para serem apresentados ao rei. Não será permitido, também, aos embaixadores dos outros Estados solicitar o favor de falar ao rei senão por intermédio do Conselho. É, ainda, o Conselho que deverá transmitir ao rei a correspondência que lhe for enviada do exterior. Em uma palavra, sendo o rei como a alma do Estado, o Conselho será como o corpo e o sentido da cidade pelos quais a alma compreende a situação do Estado e será seu instrumento para realizar o que lhe pareça melhor.

§ 20 — O cuidado de dirigir a educação dos filhos do rei incumbe, igualmente, ao Conselho, assim como a tutela no caso de o rei morrer deixando por sucessor uma criança ou um adolescente. Todavia, para que o Conselho, durante a tutela, não esteja sem rei, é preciso escolher entre os nobres do Estado um mais idoso para fazer as vezes de rei, até que o sucessor legítimo seja capaz de sustentar o peso do governo.

§ 21 — Importa que não haja outros candidatos ao posto de membros do Conselho senão aqueles que conheçam o regime, a base, a situação ou a condição do Estado. E quanto aos que quiserem fazer ofício de jurisconsultos, deverão conhecer não somente o regime do Estado de que fazem parte, mas, também, o dos outros Estados com os quais tenham qualquer relação; não se colocará na lista dos elegíveis senão homens que tenham atingido a idade de cinquenta anos e puros de qualquer condenação criminal.

§ 22 — Não se tomará no Conselho nenhuma decisão dos negócios do Estado senão quando estiverem todos presentes. Se um deles, por doença ou por qualquer outra causa, não puder assistir às sessões, deverá enviar em seu lugar uma pessoa de sua família que já tenha exercido as funções de conselheiro ou faça parte da lista dos elegíveis. Em caso de inexecução desse regulamento e se o Conselho se vir forçado, em consequência disso, a protelar de dia para dia a deliberação de um negócio, será obrigado a pagar pesada multa. Entenda-se que tudo isso se liga ao caso em que se trata de negócios gerais, tais como a guerra, a paz, a instituição ou ab-rogação de uma lei, o comércio etc. Mas, se for a questão de negócios concernentes a uma ou duas cidades e de simples súplicas a receber ou coisas semelhantes, é suficiente a presença da maioria do Conselho.

§ 23 — Devendo existir igualdade em tudo, entre as famílias, nas sessões, para propor, para falar, é necessário que cada um tenha o seu turno, de maneira que elas presidam, uma após outras, as sessões sucessivas e que a primeira durante tal sessão seja a última na sessão seguinte. Entre os membros de uma mesma família escolher-se-á para presidente aquele que for eleito primeiro.

§ 24 — O Conselho será convocado quatro vezes, ao menos, por ano, a fim de pedir contas aos funcionários de sua administração e, também, para conhecer o estado de todas as coisas e examinar se é necessário tomar qualquer nova medida. Parecerá impossível, com efeito, que um tão grande número de cidadãos se ocupe, sem interrupção, dos negócios públicos. Mas, de outro lado, como é preciso que os negócios sigam o seu curso, eleger-se-ão no Conselho cinquenta membros ou maior número, encarregados de substituir a assembleia no intervalo das sessões, os quais se deverão reunir cada dia na sala mais vizinha possível do apartamento real, para cuidar dia a dia do tesouro, das cidades, das fortificações, da educação dos filhos do rei, e, enfim, preencher todas as funções do Conselho já enumeradas, com essa exceção, todavia, de não se poderem ocupar de nenhum negócio novo sobre o qual nada ainda se houvesse decidido.

§ 25 — Quando o Conselho estiver reunido, antes de ser feita qualquer proposta, cinco ou seis dentre os jurisconsultos ou maior número, pertencentes às famílias que, durante a sessão presente, ocupem o primeiro lugar, procurarão o rei para lhe pôr ante os olhos as súplicas e as cartas que porventura lhe hajam sido endereçadas, para fazer-lhe conhecer a situação dos negócios e, para, enfim, ouvir de sua própria boca o que ordena propor ao Conselho. Feito isto, penetram na assembleia, fazem-lhe conhecer as ordens do rei e, imediatamente, o primeiro conselheiro, por ordem de lugar, abre os debates sobre os negócios de que se trata. Se o negócio parecer a alguns membros ter certa importância, ter-se-á sentido em não recolher imediatamente os sufrágios, mas adiar a votação tanto tempo quanto a necessidade do caso o exigir. O Conselho se dissolverá, pois, a tempo determinado, e, durante esse intervalo, os conselheiros de cada família poderão discutir separadamente o negócio em questão, e, se ele lhe parecer muito considerável, consultará outros cidadãos que já tenham desempenhado a função de conselheiro ou sejam candidatos ao Conselho. Se, no espaço de tempo fixado, os conselheiros de uma mesma família não se puserem de acordo, tal família será excluída do voto, porque cada família não pode dar senão um sufrágio. Em caso contrário, o jurisconsulto da família, após ter recolhido a opinião sobre a qual todos os membros se encontram de acordo, a trará ao Conselho, e, assim, para todas as outras famílias. Se, após ter ouvido as razões em apoio de cada opinião, a maioria do Conselho considerar útil pesar de novo o negócio, a assembleia se dissolverá uma segunda vez, por tempo indeterminado, durante o qual cada família deverá exprimir sua última deliberação. E, então, afinal presente toda a assembleia e recolhidos todos os votos, qualquer decisão que não reunir cem sufrágios pelo menos será declarada nula. Todas as outras serão submetidas ao rei pelos jurisconsultos que assistirem no Conselho, e o rei, após ter ouvido as razões de cada parte, preferirá a que lhe parecer melhor. Então os jurisconsultos se retiram, voltam ao Conselho e esperam o rei até o momento marcado por ele para fazer saber à assembleia qual o *veredictum* que julgou preferível e o que resolveu.

§ 26 — Formar-se-á, para a administração da justiça, outro Conselho, composto de todos os jurisconsultos e cujo ofício consistirá em fazer os processos e infligir penas aos delinquentes, com a condição, todavia, de que todos os arestos deverão ser aprovados pelos membros que tenham assento no grande Conselho, os quais se assegurarão se as sentenças foram ditadas regularmente e com imparcialidade. Se uma parte, que perdeu a causa, pode demonstrar que um dos juízes recebeu presentes da parte adversa, ou por ela teve qualquer razão de particular estima, ou tem pela parte condenada motivos de ódio ou, enfim, que há qualquer irregularidade no julgamento, será necessário reiniciar o processo.

Eis regras que não poderão ser provavelmente praticadas num Estado em que, havendo criminoso, serve-se para a confissão do acusado, não de provas, mas de torturas. Por mim não concebo aqui outra forma de justiça que aquela que se harmoniza com o melhor regime do Estado.

§ 27 — Os juízes deverão ser em grande número e em número ímpar, 61, por exemplo, ou 51, pelo menos. Cada família elegerá apenas um e não vitaliciamente, mas cada ano haverá um certo número, que se deverá afastar do cargo e ser substituído por um igual número de juízes, e escolhidos por outras famílias, que tenham atingido a idade de quarenta anos.

§ 28 — No Conselho judiciário, nenhuma sentença poderá ser pronunciada se não estiverem presentes todos os membros. Se um deles, por doença ou por outra causa, não puder assistir ao Conselho durante um longo espaço de tempo, eleger-se-á um outro juiz em seu lugar. Não se votará abertamente, mas por escrutínio secreto por meio de bolas.

§ 29 — Os emolumentos dos membros desse Conselho e os dos vigários do grande Conselho serão tirados primeiro dos indivíduos condenados à morte e, depois, também, de pessoas atingidas de multas pecuniárias. Demais, após cada aresto verificado em matéria civil, será descontado, previamente, a expensas do que perdeu a causa, uma parte proporcionada à soma total, tomada no processo, e essa parte reverterá aos dois Conselhos.

§ 30 — Haverá em cada cidade outros Conselhos subordinados a esses. Seus membros não serão também nomeados vitaliciamente, mas eleger-se-á um certo número de membros exclusivamente escolhidos nas famílias que habitem nas cidades em questão. Creio inútil levar mais longe esses pormenores.

§ 31 — O exército não receberá nenhum soldo durante a paz. Em tempo de guerra perceberá um soldo diário cada cidadão dentre os que vivam do seu trabalho quotidiano. Quanto aos generais e outros chefes de coortes, não deverão esperar da guerra outras vantagens que o botim dos inimigos.

§ 32 — Se um estrangeiro tomar por mulher a filha de um cidadão, seus filhos deverão ser considerados como cidadãos e inscritos no registro da família da mãe. Ao lado dos filhos nascidos no Império, de pais estrangeiros e criados no solo natal, permitir-se-lhes-á, combinando um preço determinado, comprar o direito de cidade aos chefes de uma família e de inscrever seus nomes no registro dessa família. E quando, ainda mesmo os chefes, por espírito de lucro, tiverem admitido um estrangeiro abaixo do preço legal no número dos seus cidadãos, não pode resultar para o Estado nenhum prejuízo. Ao contrário, é bom procurar meios para aumentar o número dos cidadãos e ter grande afluência de população. Quanto aos habitantes do Império que não sejam inscritos no registro dos cidadãos, é justo, ao menos em tempo de guerra, que compensem sua inação por qualquer trabalho ou imposto.

§ 33 — Os embaixadores que devam ser enviados em tempo de paz a outros Estados para contratar a paz e para conservá-la serão eleitos só entre os nobres, e é o tesouro do Estado que fornecerá as despesas, e não os cofres particulares do rei.

§ 34 — As pessoas que frequentam a corte, que fazem parte da casa do rei e são pagas de seu tesouro privado deverão ser excluídas de todas as funções do Estado. Digo expressamente *as pessoas pagas do tesouro privado do rei*, a fim de que não se confundam com os guardas do corpo real. Porque não deve haver outros guardas no corpo real senão os cidadãos da cidade que velam, revezando-se, à porta do rei.

§ 35 — Não se fará guerra senão tendo em vista a paz, de modo que, feita a paz, o exército deixará de existir. Então, pois, que não se tomem cidades em virtude do direito da guerra e logo que o inimigo for submetido, em lugar de pôr guarnições nessas cidades, permitir-se--lhe-á resgatarem-se por dinheiro. Ou bem, se por causa de sua posição perigosa, temer-se deixá-las à sua vontade, se necessitará, então, destruí-las inteiramente e transportar os habitantes para outros lugares.

§ 36 — Será interdito ao rei esposar uma estrangeira. Sua mulher deverá ser uma das suas parentas ou uma das suas concidadãs, sob condição de, no segundo caso, os mais próximos parentes de sua mulher não poderem exercer nenhum cargo de Estado.

§ 37 — O Império deve ser indivisível. Se, pois, o rei tiver muitos filhos, o primogênito lhe sucederá, por direito. Não se deverá admitir de nenhum modo que o Império seja dividido entre eles nem que seja entregue indiviso a todos ou a alguns, e muito menos, ainda, seja permitido dar uma parte do Império em dote. Porque não se deve admitir que as filhas tenham parte na herança do Império.

§ 38 — Se o rei vem a morrer sem deixar filho de linha varonil, sucedê-lo-á o seu mais próximo parente, salvo o caso em que houver tomado esposa estrangeira, que não queira repudiar.

§ 39 — No que toca aos cidadãos, é evidente (pelo § 6 do capítulo III) que cada um deles é obrigado a obedecer todas as ordens do rei e aos éditos promulgados pelo grande Conselho (ver sobre esse particular os §§ 18 e 19 do presente capítulo). Essa obediência é de rigor, ainda quando se creiam absurdos os decretos da autoridade, e a autoridade tem direito de usar da força para se fazer obedecer.

Tais os fundamentos do governo monárquico e que são os únicos sobre os quais ele pode ser solidamente estruturado, como vamos demonstrá-lo no capítulo seguinte.

§ 40 — Ainda uma palavra no que concerne à Religião. Não se deve construir nenhum templo à custa das cidades. E não se podem fazer leis sobre as opiniões, a menos que se considerem sediciosas e subversivas. Que aqueles a quem concedeu o serviço público de sua religião, se querem um templo, construam-no à sua custa. Quanto ao rei, terá em seu palácio um templo particular, para praticar a religião que adotou.

Capítulo VII — Da monarquia (*continuação*)

§ 1 — Após ter apresentado as condições fundamentais do governo monárquico, empreendo, agora, demonstrá-las em ordem metódica. Começarei por uma observação importante: é que não há nenhuma contradição na prática quanto a essas leis serem constituídas de um modo tão firme que o próprio rei não as possa abolir. Também os persas tinham o costume de honrar seus reis como deuses; todavia, esses reis não tinham o poder de revogar as leis, uma vez estabelecidas, como claramente se depreende do capítulo V de DANIEL. E, em parte nenhuma, que eu saiba, um monarca é eleito de maneira absoluta, sem certas condições expressas. De resto, nada aí existe que repugne à razão nem que seja contrário à obediência absoluta devida ao soberano. Porque os fundamentos do Estado devem ser considerados como decretos eternos do rei, de modo que se o rei vier a dar uma ordem contrária às bases do Estado, seus ministros lhe obedeçam, ainda recusando executar suas vontades. É o que demonstra muito bem o exemplo de Ulisses. Os seus companheiros, com efeito, não executaram suas ordens, quando, tendo-o amarrado ao mastro do navio, enquanto sua alma estava presa ao canto das sereias, romperam seus laços, malgrado a ordem que lhes dava com toda sorte de ameaças? Mais tarde agradeceu-lhes haver obedecido às suas primeiras recomendações e toda gente reconheceu, nisso, a sua sabedoria. A exemplo de Ulisses, os reis costumam instituir juízes para que distribuam a justiça e não façam distinção entre pessoas, mesmo à pessoa do rei, no caso em que o rei viesse a contravir o direito estabelecido. Porque os reis não são deuses, mas homens, frequentemente seduzidos pelo canto das sereias. Se, pois, todas as coisas dependessem da inconstante vontade de um só homem, nada mais haveria de fixo. E, por conseguinte, para constituir, de modo estável, o governo monárquico, é preciso que todas as coisas se façam efetivamente pelo só decreto do rei, isto é, que todo direito esteja na vontade declarada do rei, o que não significa que seja direito toda vontade do rei. (Ver sobre esse ponto os §§ 3, 5 e 36 do precedente capítulo.)

§ 2 — Notai, de seguida, que, no momento em que se colocam os fundamentos do Estado, é preciso ter olho atento nas paixões humanas. Porque não é suficiente mostrar o que é preciso fazer. Trata-se de explicar como os homens, sejam conduzidos já pela paixão, já pela razão, tenham sempre direitos fixos e constantes. Admiti, por um momento, que os direitos do Estado ou a liberdade pública não tenham outro apoio que o esteio débil das leis. Não somente não há mais para os cidadãos nenhuma segurança, como se mostrou no § 3 do capítulo precedente, como um Estado resvala pela vertente da sua ruína. Ora, é certo que não há condição mais miserável que a de um Estado excelente que começa a vacilar, a menos que não tombe de um só golpe, de um só impulso e não se precipite na servidão (o que parece impossível) e, por conseguinte, seria preferível para os súditos transferir absolutamente a um só homem os seus direitos, do que estipular condições de liberdade incertas e vãs ou perfeitamente inúteis, e, assim, preparar o caminho a seus descendentes para a mais cruel das servidões. Mas, se chego a mostrar que os fundamentos do governo monárquico, tais como os descrevi no capítulo precedente, são fundamentos sólidos e não podem ser destruídos mais que pela insurreição armada da maioria esmagadora do povo, se demonstro que com tais fundamentos a paz e a segurança são asseguradas à multidão e ao rei, não me apoiando, aliás, para essa demonstração senão sobre a ordinária natureza humana, ninguém poderá duvidar que esses fundamentos são verdadeiros e excelentes, como resulta já com evidência do § 9 do capítulo III e dos §§ 3 e 8 do capítulo precedente. Eis a minha demonstração adiante, que procurarei tornar a mais curta possível.

§ 3 — Que seja dever de quem tem autoridade de conhecer sempre a condição e a situação do império, de velar pela salvação comum e de fazer tudo de útil ao maior número é princípio que ninguém poderá contestar. Mas como um só homem não pode cuidar de tudo nem ter sempre o espírito presente e disposto à reflexão, como, além disso, a doença, a velhice e outras causas o impedem, frequentemente, de se ocupar dos negócios públicos, é necessário que o monarca se cerque de conselheiros que conheçam a situação dos negócios, ajudem o rei com os seus conselhos e o substituam, de tal sorte que uma só e mesma alma dirija sempre o corpo do Estado.

§ 4 — Ora, a natureza humana, sendo de tal modo que cada indivíduo procura, com a maior paixão, o seu bem particular, vê, como as leis mais equitativas, as que são necessárias para conservar e aumentar a sua fazenda, e não defende o interesse de outrem senão quando crê que por aí mesmo assegura o seu próprio interesse, segue-se que é preciso escolher conselheiros cujos interesses particulares estejam ligados à salvação comum como é a paz pública. E, por conseguinte, é evidente que, se se escolhe um certo número de conselheiros em cada gênero ou classe de cidadãos, todas as medidas úteis à maioria dos súditos em uma assembleia assim composta obterão o maior número de sufrágios. E, embora essa assembleia, formada de um número tão grande de membros, deva contar muitos de espírito pouquíssimo cultivado, é certo, todavia, que qualquer indivíduo é sempre muito hábil e muito avisado quando se trata de estatuir sobre negócios que praticou durante muito tempo com grande paixão. Eis por que, se não se elegem outros membros que os que tenham exercido honrosamente sua indústria até os cinquenta anos, serão suficientemente capazes de dar os seus conselhos sobre negócios que são os seus, sobretudo se, nas questões de grande importância, se lhes dá tempo para meditar. Tampouco é certo que uma assembleia, por ser composta por um pequeno número de membros, não contenha ignorantes. Ao contrário, seja formada, na sua maioria, de pessoas dessa espécie, pela razão de que cada um faz esforços para ter colegas de espírito bronco, que tem sob a sua influência, o que não acontece nas grandes assembleias.

§ 5 — É certo, além do mais, que cada um gosta mais de governar do que de ser governado. *Ninguém,* com efeito, como diz Salústio, *cede espontaneamente o império a outro.*[11] Deduz-se daí que a multidão inteira não transferiria jamais o seu direito a um pequeno número de chefes ou a um só se pudesse harmonizar-se consigo própria e se sedições não surgissem como consequência dos dissentimentos que dividem mais frequentemente as grandes assembleias. E, em resultado, a multidão não transporta livremente para as mãos do rei senão essa parte de seu direito que ela não pode absolutamente reter em suas próprias mãos, isto é, a terminação das dissensões e a expedição rápida dos negócios. Também acontece frequentemente que se elege um rei devido a uma guerra, porque, com efeito, com um rei, a guerra se realiza com mais felicidade. Grande tolice, certamente, de se fazerem escravos durante a paz para fazer mais felizmente a guerra se, todavia, a paz é possível num Estado onde o poder soberano transferiu, somente em virtude da guerra, a um só indivíduo, onde, por conseguinte, não é senão durante a guerra que esse indivíduo pode mostrar a sua força e o quanto lucram os outros concentrando-se nele. Ao contrário, inteiramente, o governo democrático tem de particular que a sua virtude brilha muito mais na paz que na guerra. Mas, por qualquer motivo que se eleja um rei, não se pode, como já o dissemos, concentrar nele tudo o que é útil ao Estado. E é por isso que é necessário, como se demonstrou precedentemente, que se tenham muitos cidadãos por conselheiros. Ora, como não se pode compreender que na deliberação de um negócio haja alguma coisa que escape a um grande número de espíritos, segue-se que, fora de todos os conselhos dados na assembleia e submetidos ao rei, não se encontrará nenhum verdadeiramente útil à salvação do povo. Por conseguinte, como o bem do povo é a suprema lei ou o direito supremo do rei, segue-se que o direito do rei é de escolher um critério entre os que emitiu o Conselho, e nada resolver ou apegar-se a um parecer contra o sentimento de todo o Conselho (ver § 25 do capítulo precedente). Todavia, deve-se submeter ao rei, sem exceção, todos os pareceres propostos no Conselho, e poderia ser que o rei favorecesse todas as pequenas cidades que tenham o menor número de sufrágios. Porque, embora seja estabelecido por uma lei do Conselho que os pareceres sejam declarados sem designação dos seus autores, não se poderá obstar, a despeito das precauções tomadas, que alguns deles transpirem. É preciso estabelecer, pois, que todo parecer que não tenha reunido cem sufrágios, pelo menos, seja considerado nulo, e as principais cidades deverão defender essa lei com a maior energia.

§ 6 — Seria aqui o lugar, se não fosse querer ser resumido, de mostrar as grandes vantagens de tal Conselho. Mostraria, ao menos, a que parece uma vantagem de grande consequência, e é que é impossível dar à virtude um aguilhão mais vivo que essa esperança comum de atingir a maior honra. Porque o amor da glória é um dos principais móveis da vida humana, como amplamente fiz ver na minha *Ética*.[12]

§ 7 — Que a maior parte do nosso Conselho jamais tenha o desejo de fazer a guerra, e que, ao contrário, seja sempre animada de um grande zelo e de um grande amor de paz, é o que parece indubitável. Porque, além de que a guerra lhe faça sempre correr o risco de perder com a liberdade os seus bens, há uma outra razão decisiva: é que a guerra é custosa e precisará fazer-se novas despesas. Acrescei que seus filhos e seus próximos, que em tempos de paz estão ocupados em cuidados domésticos, serão forçados, durante a guerra, a aplicar-se ao ofício das armas e partir para o combate, sem esperar nada conseguir de grande que cicatrizes gratuitas. Porque, como já o dissemos no § 30 no precedente capítulo, o exército não deve receber nenhum soldo e, além disso (§ 10 do mesmo capítulo), deve ser formado só de cidadãos.

§ 8 — Uma outra condição de grande importância para a manutenção da paz e da concórdia é que nenhum cidadão tenha bens fixos. (§ 12 do capítulo precedente.) Por esse meio todos terão mais ou menos o mesmo perigo a esperar da guerra. Todos, com efeito, se entregarão ao comércio tendo em vista o ganho e se emprestarão mutuamente o seu dinheiro, dado que, a exemplo dos antigos atenienses, se proíba a todo cidadão, por meio de lei, de emprestar a juros, a outros que não façam parte do Estado. Todos os cidadãos deverão, pois, ocupar-se de negócios que serão implicados uns nos outros e que não poderão ser bem-sucedidos senão pela confiança recíproca e pelo crédito. Donde resulta que a maioria do Conselho estará sempre animada de um só e mesmo espírito, no tocante a negócios comuns e às artes da paz. Como já o dissemos no § 4 do capítulo presente, cada um defende o interesse do outro na medida em que crê defender o seu próprio.

§ 9 — Que ninguém se gabe de poder corromper o Conselho com presentes. Se, com efeito, chegasse a seduzir um ou dois conselheiros, isto nada significa, pois ficou estabelecido que todo parecer que não tenha reunido cem sufrágios, pelo menos, seja nulo.

§ 10 — É igualmente certo que no Conselho, uma vez estabelecido, seus membros não poderão ser reduzidos a menor número. Isso resulta, com efeito, das paixões humanas: todos os homens sendo sensíveis, no mais alto grau, ao amor da glória, todos esperam, quando têm um corpo são, levar a vida até uma longa velhice. Ora, se fizermos o cálculo dos que atingiram realmente a idade de cinquenta ou sessenta anos, e se levarmos em conta, além disso, o grande número de membros que são eleitos anualmente, veremos que entre os cidadãos que levam armas apenas haverá um que não nutra grande esperança de elevar-se à dignidade de conselheiro. E, por conseguinte, todos defenderão com todas as suas forças a integridade do Conselho. Porque é preciso notar que a corrupção é fácil de prevenir quando não se insinua pouco a pouco. Ora, como é uma combinação mais simples e menos sujeita a excitar a emulação, fazer eleger um membro do Conselho em cada família, do que conceder esse direito a um pequeno número de famílias ou excluir essa ou aquela, segue-se (pelo § 15 do capítulo precedente) que o número de conselheiros não poderá ser diminuído, salvo se se vier a suprimir imediatamente um terço, um quarto ou um quinto da assembleia, medida exorbitante e, por conseguinte, muito longe da prática ordinária. E não há temer mais o retardamento ou a negligência da eleição. Porque, em casos semelhantes, vimos que o Conselho mesmo elege em lugar do rei (§ 16 do capítulo precedente).

§ 11 — O rei, pois, seja que o temor da multidão o faça agir ou que queira apegar-se à maior parte da multidão armada, seja que a generosidade de seu coração leve-o a zelar pelo interesse público, confirmará sempre o parecer que houver reunido mais sufrágios, isto é, pelo § 5 do capítulo precedente, aquele que é mais útil à maior parte do Estado. Quando pareceres diferentes lhe forem submetidos, esforçar-se-á por pô-los de acordo, se tal for possível, a fim de conciliar todos os cidadãos. É para esse fim que ele tenderá com todas as suas forças, a fim de que possa provar, na paz como na guerra, tudo quanto lucrou a multidão em concentrar as forças nas mãos de um só. Assim, pois, o rei pertencerá tanto mais a si próprio e será tanto mais rei quanto mais zelar pelo bem comum.

§ 12 — O rei não pode, com efeito, por si só, conter, pelo temor, todos os cidadãos. Seu poder, como já o dissemos, apoia-se sobre o número dos soldados e, mais ainda, sobre a sua coragem e a sua fidelidade, virtudes que jamais se desmentem nos homens, enquanto a necessidade, honesta ou aviltante, os mantém reunidos. Donde se conclui que os reis têm o costume de excitar frequentemente os soldados mais do que contê-los e de dissimular mais os seus vícios do que as suas virtudes. E vê-se a maior parte das vezes, para oprimir os grandes, procurar pessoas vadias e perdidas na devassidão, distingui-las, enchê-las de dinheiro e de favores, tomá-las à sua proteção, cercá-las de considerações, em uma palavra, praticar as últimas baixezas, tendo em vista o domínio. A fim, pois, de que os cidadãos sejam os primeiros objetos da atenção do rei e que se pertençam a si mesmos tanto quanto o exige a condição social e a equidade, é necessário que o exército seja composto só de cidadãos e que façam parte dos Conselhos. É pôr-se sob o jugo, é semear os germes da guerra eterna, fazer ou admitir que se engajem soldados estrangeiros para quem a guerra é um negócio de comércio e que tiram a sua maior importância das discórdias e das sedições.

§ 13 — Os conselheiros do rei não devem ser eleitos vitaliciamente, mas por três, quatro, cinco anos quando muito, é o que é evidente, tanto pelo § 10 como pelo § 9 do presente capítulo. Se, com efeito, fossem vitalícios, além de que a maior parte dos cidadãos mal poderia esperar essa honra, de que resultaria, então, grande desigualdade e, conseguintemente, a inveja, os rumores contínuos e, finalmente, sedições de que os reis não deixariam de se aproveitar no interesse do seu domínio, daria, além disso, em que os conselheiros, não temendo mais seus sucessores, tomariam grandes liberdades em todas as coisas, e isso sem nenhuma oposição do rei. Porque mais se sentiriam odiosos aos cidadãos, mais estariam dispostos a cercarem o rei, tornando-se seus aduladores. Nesse particular, um intervalo de cinco anos parecia muito longo espaço de tempo que podia bastar para corromper, por presentes e favores, a maior parte do Conselho, por mais numeroso que fosse, e, por conseguinte, melhor será enviar cada ano dois membros de cada família a serem substituídos por dois membros novos (suponho que se tomem de cada família cinco conselheiros), exceto o ano em que o jurisconsulto de uma família se retirar e der lugar a um novo eleito.

§ 14 — Parece que a nenhum rei se possa garantir tanta segurança como o do nosso Estado. Porque, além de os reis estarem expostos a perecer logo que o seu exército não o defenda mais, é certo que o seu maior perigo vem sempre dos que de mais perto o cercam. À medida, pois, que os conselheiros sejam menos numerosos e, portanto, mais poderosos, o rei correrá um maior risco de que lhe usurpem o poder para transferi-lo a outro. Nada espantou mais o rei David do que ver que o seu conselheiro Aquitofal havia tomado o partido de Absalão.[13] Agregai a isto que, quando a autoridade se concentra toda inteira nas mãos de um só homem, é muito mais fácil transportá-la para as mãos de outrem. É assim que dois simples soldados, empreendendo eleger um imperador, elegeram-no.[14] Não falo dos artifícios e das ardilezas que os conselheiros não deixam de empregar de modo a se tornar um objeto de inveja para o soberano, naturalmente cioso dos homens muito em evidência. E quem quer que leu a história não pode ignorar que, na maioria das vezes, o que perdem os conselheiros do rei é um excesso de confiança, donde é preciso bem concluir que eles têm necessidade, para se salvar, não de serem fiéis, mas de serem hábeis. Mas se os conselheiros são tão numerosos que não se possam pôr de acordo sobre o mesmo delito, se, além disso, são todos iguais e não possuem os seus cargos mais de quatro anos, não podem ser perigosos ao rei, a menos que esse queira atentar contra a sua liberdade e por aí ofenda todos os cidadãos. Porque, como bem notou Pérez,[15] o uso do poder absoluto é muito perigoso ao príncipe, muito odioso aos súditos e contrário a todas as instituições divinas e humanas, como o provam inumeráveis exemplos.

§ 15 — Além dos princípios que vêm de ser estabelecidos, indiquei, no capítulo precedente, muitas outras condições fundamentais de que resultam para o rei a segurança do poder e para os cidadãos a segurança da paz e da liberdade. Desenvolverei essas condições em lugar conveniente. Mas quero, ainda, considerar tudo quanto se relaciona com o Conselho supremo e que seja de importância superior. Quero, agora, retomar as coisas nas ordens já traçadas.

§ 16 — Que os cidadãos sejam tanto mais poderosos e, por conseguinte, tanto mais donos de si quanto tenham maiores cidades e mais bem fortificadas é coisa que não pode ser objeto de dúvida. À medida, com efeito, que o lugar de sua residência é mais seguro, podem melhor proteger a sua liberdade e ter menos a temer o inimigo de fora e de dentro. É certo que os homens velam naturalmente pela sua segurança, com tanto mais cuidado quanto mais poderosos são pelas suas riquezas. Quanto às cidades que têm necessidade, para se conservar, da potência de outra, não têm o direito igual ao da autoridade que as protege. Mas tanto têm elas mais necessidades do poder de outrem, mais fácil lhes é cair sob o direito de outrem. Porque o direito se mede pelo poder, como já foi explicado no capítulo segundo.

§ 17 — É, também, por essa razão, quero dizer, a fim de que os cidadãos fiquem senhores de si e protejam a sua liberdade, que é preciso excluir do exército todo soldado estrangeiro. E, com efeito, um homem armado é mais senhor de si do que um homem sem armas (ver § 12 do capítulo precedente). E é transferir absolutamente o seu direito a um homem e entregar-se todo inteiro à sua boa-fé, dar-lhe armas e confiar-lhe as fortificações das cidades. Acrescentai a isto o poder da avareza, principal móvel da maioria dos homens. É impossível, com efeito, engajar tropas estrangeiras sem grandes despesas, e os cidadãos suportam com impaciência os impostos exigidos para manter uma ociosa milícia. É necessário, agora, demonstrar que todo cidadão que comanda um exército inteiro ou uma parte dele não deva ser eleito mais que por um ano, salvo caso de necessidade. É princípio certo para quem haja lido a história, tanto profana como sagrada. Nada tão claro por si. Porque, evidentemente, a força do império é confiada sem reservas àqueles a quem se dá muito tempo para conquistar a glória militar e elevar seu nome acima do nome do rei, para ligar o exército a sua pessoa por sua complacência, liberalidade, e outros artifícios de que se costumam servir para a escravização dos outros e seu próprio domínio. Enfim, para completar a segurança de qualquer Império, junto a essa condição, que os chefes do exército devam ser escolhidos entre os conselheiros do rei ou entre os que preencheram anteriormente essa função, isto é, entre cidadãos que atingiram uma idade em que os homens gostam geralmente mais das coisas antigas e seguras que das novas e perigosas.

§ 18 — Digo que os cidadãos devem ser distinguidos entre si por famílias e que é preciso eleger em cada uma um número igual de conselheiros, de modo que as maiores cidades tenham mais conselheiros, em proporção à quantidade de seus habitantes, e que possam, como é justo, dar mais sufrágios. Com efeito, o poder do Estado e, por conseguinte, o seu direito se medem pelo número dos cidadãos. E não vejo meio mais conveniente de se conservar a igualdade. Porque todos os homens são feitos de tal modo que cada um quer estar ligado à sua família e distinguido dos outros por sua raça.

§ 19 — No estado de natureza, não há nada que cada um possa menos reivindicar por si e fazer seu do que o solo, e tudo o que de tal modo lhe adere que não se possa ocultá-lo nem transportá-lo. O solo, pois, e o que lhe é inerente pertencem, essencialmente, à comunidade, isto é, a todos aqueles que uniram as suas forças, ou àquilo a que todos deram o poder de reivindicar seus direitos. Donde se segue que o valor do solo e de tudo que lhe pertence deve-se medir, para os cidadãos, pela necessidade que têm eles de possuir uma residência fixa e de defender seu direito comum, sua liberdade. Demais, mostramos, no § 8 deste capítulo, as vantagens que o Estado deve retirar do nosso sistema de propriedade.

§ 20 — É necessário, para que os cidadãos sejam iguais tanto quanto possível, e é aqui que reside uma das primeiras necessidades do Estado, que ninguém seja considerado como nobre, salvo os filhos do rei. Mas, se todos esses filhos estão autorizados a se casar e a se tornar pais de família, o número dos nobres cresceria grandemente pouco a pouco, e não somente seria um grande peso para o rei e para os cidadãos, como isso se tornaria em extremo temível. Porque os homens que vivem na ociosidade, geralmente, pensam no mal, e eis por que os nobres são frequentemente causa de que os reis se inclinem para a guerra, e o repouso e a segurança do rei entre um grande número de nobres estejam mais bem assegurados durante a guerra que durante a paz. Mas deixo de lado esses pormenores, como muito conhecidos, assim como o disse no precedente capítulo, nos §§ 15 a 27. Porque os pontos principais desses parágrafos estão demonstrados e o resto é evidente por si.

§ 21 — Os juízes devem ser muito numerosos para que a maior parte dentre eles não possa ser corrompida pelos presentes de um particular; que o seu voto se pronuncie, não de modo ostensivo, mas secretamente, enfim, que eles tenham o direito a emolumentos, eis, ainda, princípios suficientemente conhecidos. O uso universal é que os juízes recebam subsídios anuais. Donde se conclui que não se devem apressar em terminar os processos, de modo que as querelas não tenham fim. Nos países em que a confiscação dos bens se faz em proveito do rei, acontece, frequentemente, que, na instrução dos processos não é o direito e a verdade que se consideram, mas o tamanho da riqueza. De todas as partes, delações de cidadãos dos mais ricos atingidos como uma presa, abusos pesados e intoleráveis, desculpados pela necessidade da guerra, mas mantidos durante a paz. Ao menos, quando os juízes estão instituídos por dois ou três anos quando muito, sua avareza é controlada pelo temor dos seus sucessores. E não insisto nessa outra condição, de que os juízes não podem ter nenhuns bens fixos, mas devem emprestar as suas economias a seus concidadãos, para tirar lucro, donde lhes resulta a necessidade de velar pelos interesses dos seus jurisdicionáveis e não lhes fizer nenhum agravo, o que sucederá mais seguramente quando o número dos juízes for muito grande.

§ 22 — Dissemos que o exército não deve perceber soldo. Com efeito, a primeira recompensa do exército é a liberdade. No estado de natureza, é unicamente em vista da liberdade que cada um se esforça tanto quanto pode de se defender a si próprio e não espera outra recompensa de sua virtude guerreira que a vantagem de ser seu senhor. Ora, todos os cidadãos em conjunto no estado de sociedade são como o homem em estado de natureza, de modo que levam armas para manter a sociedade, e é por si mesmo que trabalham, pelo interesse particular de cada um. Ao contrário, os conselheiros, os juízes, os pretores ocupam-se dos outros mais do que de si mesmos, e eis por que é equitativo dar-lhes direito a emolumentos. Ajuntai a essa diferença que na guerra não se pode ter mais poderoso e glorioso aguilhão de vitória que a imagem da liberdade. Se se recusa essa organização do exército para recrutá-lo em uma classe particular de cidadãos, então é necessário abonar-lhe um soldo. Uma outra condição inevitável é que o rei coloque os cidadãos que levam armas muito acima de todos os outros (como mostramos no § 12 do presente capítulo), e donde resulta que dareis o primeiro lugar, no Estado, a homens que não sabem outra coisa que a guerra e que durante a paz caem no deboche pela ociosidade, e que, por causa do mau estado dos seus negócios domésticos, não pensam noutra coisa que em guerra, rapinas e discórdias civis. Podemos, pois, afirmar que um governo monárquico é instituído, em realidade, em um Estado de guerra, onde só o exército é livre e todo o resto é escravo.

§ 23 — O que foi dito no § 32 do capítulo precedente quanto aos estrangeiros serem recebidos no número dos cidadãos é muito evidente por si, penso, e ninguém porá em dúvida, creio, que os mais próximos parentes do rei não devam ser mantidos a distância da sua pessoa, por onde entendo que não se os encarregue de missões de guerra, mas, ao contrário, de negócios de paz que possam dar ao Estado repouso e a eles a honra. Também pareceu aos tiranos turcos que essas medidas sejam insuficientes, e eles, de matar seus irmãos, fizeram uma religião. Não se deve ficar admirado: porque mais o direito do Estado é concentrado nas mãos de um só, mais é fácil, como o mostramos por exemplo no § 14 do capítulo presente, transferir esse direito a outro. Ao contrário, o governo monárquico, tal como o concebemos aqui, não admitindo nenhum soldado mercenário, dará, indubitavelmente, ao rei todas as garantias possíveis de segurança.

§ 24 — Não pode haver mais dúvida nenhuma no concernente ao que foi dito nos §§ 34 e 35 do capítulo precedente. Quanto a esse princípio, que o rei não deve tomar esposa estrangeira, é fácil demonstrá-lo. Com efeito, além de dois Estados, embora unidos por um tratado de aliança, estejam sempre em estado de hostilidade (pelo § 14 do capítulo III), é preciso tomar tento sobremodo, de modo que a guerra não seja desencadeada devido aos negócios ou interesse particular do rei. E como as querelas e as discórdias nascem de preferência em uma união igual ao casamento, como, além disso, os conflitos entre dois Estados se liquidam quase sempre pela guerra, segue-se que é coisa perniciosa para um Estado ligar-se a um outro por uma estreita sociedade. Encontramos, na Escritura, um exemplo fatal. À morte de Salomão, que havia esposado a filha do rei do Egito, seu filho Roboão fez uma guerra infelicíssima a Sussacos, rei do Egito, que o venceu inteiramente. O casamento de Luís XIV, rei de França, com a filha de Felipe IV, foi, também, o germe de uma nova guerra, e encontrar-se-ão na história muitos outros exemplos.

§ 25 — A forma do Estado, como o dissemos mais acima, deve ficar uma e sempre a mesma. Não é preciso senão um único rei, sempre do mesmo sexo, e o império deve ser indiviso. Foi dito também que o rei tem o direito de pôr como sucessor seu filho mais velho, ou, se não tem filhos, seu parente mais próximo. Se se pergunta a razão dessa lei, remeterei ao § 13 do capítulo precedente, acrescentando que a eleição do rei, feita pela multidão, deve ter caráter de perpetuidade. Outro tanto não sucederá se o poder supremo for entregue nas mãos da multidão, revolução decisiva e, consequentemente, perigosíssima. Quanto àqueles que pretendem que o rei, somente porque é o senhor do império e o possui de direito absoluto, pode transferi-lo a quem lhe apraza e escolher a seu grado o seu sucessor e que daí concluem que o filho do rei é herdeiro do império, por direito, certamente laboram em erro. Com efeito, a vontade do rei não tem força de direito senão o tempo em que ele detiver o mando do Estado. Porque o direito se mede só pelo poder. O rei deve, pois, é verdade, deixar o trono, mas não pode transmiti-lo a um outro senão com o consentimento da multidão ou, ao menos, da parte mais forte da multidão. E para que isso seja mais bem compreendido é necessário notar que os filhos são herdeiros de seus pais, não em virtude do direito natural, mas em virtude do direito civil. Porque se cada cidadão é senhor de certos bens, é só por força do Estado. Eis por que o mesmo poder e o mesmo direito que fazem que o ato voluntário pelo qual um indivíduo dispôs de seus bens é reconhecido válido, esse mesmo direito faz que o ato do testador, mesmo depois da sua morte, continue válido enquanto dure o Estado. E, em geral, cada um, na ordem civil, conserva após sua morte o mesmo direito que o possui enquanto vivo, por essa mesma razão já indicada que é pelo poder do Estado, que é eterno, e não por próprio poder, que cada um é senhor de seus bens. Mas para o rei tudo isso é de modo contrário. A vontade do rei, com efeito, é o direito civil mesmo e o Estado é o rei. Quando o rei morre, o Estado morre de algum modo. O estado social volta ao estado de natureza e, por conseguinte, o soberano pode voltar à multidão que, desde então, pode, a bom direito, fazer leis novas e ab-rogar as antigas. É, pois, evidente que suceda ao rei, por direito, aquele que a multidão quer, ou bem, se o Estado é uma teocracia semelhante à dos hebreus, aquele que Deus escolheu por intermédio de um profeta. Poderíamos ainda chegar às mesmas consequências apoiando-nos no princípio de que o cetro do rei ou seu direito não é, em realidade, senão vontade da multidão, ou, ao menos, da parte mais forte da multidão, ou, nesse outro princípio, de que os homens dotados de razão jamais renunciam ao seu direito a ponto de perder o caráter de homens e ser tratados como rebanho. Mas é inútil insistir mais tempo nesse assunto.

§ 26 — Quanto à religião ou ao direito de render culto a Deus, ninguém pode transferi-lo a outro. Mas já discutimos essa questão nos dois últimos capítulos do nosso *Tratado teológico-político* e é supérfluo insistir. Creio, nas páginas que precedem, haver demonstrado, muito claramente, embora em poucas palavras, as condições fundamentais do melhor governo monárquico. E quem quer que queira abarcá-los de um só golpe de vista, com atenção, reconhecerá que eles formam um estreito encadeamento e que constituem um Estado perfeitamente homogêneo. Resta-me somente advertir que tive, constantemente, no pensamento, um governo monárquico instituído por uma multidão livre, a única a quem tais instituições podem servir. Porque uma multidão acostumada a outra forma de governo não poderá, sem grande perigo, quebrar os fundamentos estabelecidos e mudar toda estrutura do Estado.

§ 27 — Esses pontos de vista talvez sejam acolhidos com um sorriso de desdém por aqueles que restringem à plebe os vícios que se encontram em todos os homens. Jogar-me-ão em cara esses antigos adágios: que "o vulgo é incapaz de moderação", "que se torna terrível ao cessar o temor", que "a plebe só sabe servir com baixeza ou dominar com insolência", "que é estranha à verdade", "que lhe falta raciocínio" etc. Respondo que todos os homens têm uma só e mesma natureza. O que nos engana, quanto a isto, é o poder e o grau de cultura. Também acontece que, quando dois indivíduos praticam a mesma ação, dizemos, frequentemente: a esse é permitido e àquele é proibido agir impunemente; a diferença não está na ação, mas nos que a realizam. A soberbia é própria dos dominadores. Os homens se orgulham de uma distinção concedida por um ano. Que deverá ser o orgulho dos nobres que visam às honras eternas? Mas sua arrogância é revestida de fausto, de luxo, de prodigalidade, de vícios, que formam certo acordo. Ela não se contém numa espécie de ignorância sábia ou de elegante torpeza, embora vícios que são afrontosos e laxos, quando são vistos num particular, tornam-se neles decentes e honrados, no julgamento dos ignorantes e dos beócios. Que o vulgo seja incapaz de moderação, que se torne terrível desde que cesse de ter medo, convenho. Mas não é fácil misturar a servidão e a liberdade. E, enfim, não é coisa surpreendente que o vulgo fique estranho à verdade e que não tenha raciocínio, pois os principais negócios do Estado são feitos à sua revelia, e ele é reduzido a conjeturas sobre o pequeno número daqueles que não se lhes podem encobrir inteiramente. Também é uma virtude muito rara saber controlar o seu raciocínio. Querer, pois, fazer todas as coisas à revelia dos cidadãos e não querer que eles exarem falsos julgamentos e os interpretem inteiramente mal é o cúmulo da necedade. Com efeito, se a plebe pudesse se moderar, se ela fosse capaz de sustar seu julgamento sobre o que conhecesse pouco e avaliar o equilíbrio do negócio sobre um pequeno número de elementos conhecidos, então a plebe seria feita para governar e não para ser governada. Mas, como o dissemos, a Natureza é a mesma em todos os homens. Todos se orgulham do seu domínio. Todos tornam-se terríveis, desde que cessam de ter medo, e por toda a parte a verdade vem quebrar-se de encontro a corações rebeldes ou tímidos, aí, sobretudo, onde o poder, estando às mãos de um só ou de pequeno número, não visa amealhar grandes riquezas em lugar de se propor pôr fim à verdade e ao direito.

§ 28 — Quanto aos soldados estipendiados, sabe-se que, acostumados à disciplina militar, endurados no frio e nas privações, desprezam ordinariamente a massa dos cidadãos, como incapazes de os igualar, de longe, sequer, nos ataques de vigor e em campanha rasa. Aí está, aos olhos de qualquer espírito são, uma causa de ruína e de fragilidade. Ao contrário, todo apreciador equitativo reconhecerá que o Estado mais firme de todos é aquele que não pode senão defender suas possessões adquiridas, sem cobiçar os territórios estrangeiros, e que desde então se esforça por todos os meios de evitar a guerra e de manter a paz.

§ 29 — Também reconheço que não é possível manter ocultos os desejos de semelhante Estado. Mas toda gente convirá comigo, também, que mais vale ver os desejos honestos de um governo conhecido dos inimigos, que as maquinações perversas de um tirano tramadas à revelia dos cidadãos. Quando os governos estão no ponto de envolver no mistério os negócios do Estado é que o poder absoluto está em suas mãos, e, assim, não se limitam a estender armadilhas ao inimigo em tempo de guerra, e estendam-nas aos cidadãos em tempo de paz. Além disso, é impossível negar que o segredo não seja frequentemente necessário num governo. Mas que o Estado não possa subsistir sem estender o segredo a tudo, é o que ninguém sustentará. Confiar o Estado a um homem e ao mesmo tempo manter a liberdade é coisa evidentemente impossível, e, por conseguinte, é estupidez para evitar um grande prejuízo expor-se a um grande mal. Mas eis aqui a eterna canção dos que cobiçam o poder absoluto: que importa do modo mais subido ao Estado que os seus negócios se realizem em segredo, e outras afirmativas não menos belas que, sobre pretexto de utilidade pública, levam todo direito à servidão.

§ 30 — Enfim, embora nenhum Estado, que eu conheça, seja instituído com as condições que venho de dizer, poderei, todavia, invocar, também, a experiência e estabelecer por fatos, e considerar as causas que conservam um Estado civilizado e os que ela destrói, que a forma de governo monárquico descrita mais acima é a melhor que se possa conceber. Mas temo, desenvolvendo essa prova experimental, causar grande enfado ao leitor. Mas não quero também deixar passar em silêncio um exemplo que me parece digno de memória: é o dos aragoneses, que, cheios de fidelidade singular para com os seus reis, souberam, com igual constância, conservar intactas suas instituições nacionais. Quando sacudiram o jugo mourisco, resolveram escolher um rei. Mas não se pondo de acordo sobre as condições da escolha, resolveram consultar o soberano pontífice romano. Este, mostrando-se nessa ocasião um verdadeiro vigário de Cristo, censurou-os acremente aproveitar tão pouco o exemplo dos hebreus e se obstinarem muitíssimo em pedir um rei. Mas aconselhou-os, depois, no caso de não mudarem de opinião, não elegerem um rei senão após ter previamente estabelecido instituições equitativas e bem apropriadas ao caráter da nação, e, sobretudo, lhes recomendou criar um conselho supremo para servir de contrapeso à realeza (como eram os Éforos na Lacedemônia) e para resolver soberanamente as querelas que se levantassem entre os reis e os cidadãos. Os aragoneses, conformando-se com o conselho do pontífice, instituíram as leis que lhes pareceram mais equitativas e lhes deram por intérprete, isto é, por juiz supremo, não um rei, mas um conselho chamado "conselho dos 17", cujo presidente levava o nome de JUSTIÇA (EL JUSTIZA). Assim, pois, são o JUSTIZA e os DEZESSETE eleitos vitaliciamente, não por via de sufrágios, mas pela sorte, que têm o direito absoluto de revogar ou de anular todos os arestos exarados contra um cidadão qualquer que seja, pelos outros Conselhos, tanto políticos como eclesiásticos, e mesmo pelo rei, de modo que todo cidadão pode citar o próprio rei ao tribunal. Os DEZESSETE tinham, além disso, outrora, o direito de eleger e de depor o rei. Mas, após longos anos, o rei d. Pedro, chamado PUNHAL, à força de intrigas, prodigalidades e toda espécie de lavores, conseguiu, afinal, fazer abolir esse direito (disse-se que logo após ter obtido o que pedia, cortou a mão com o seu punhal em presença da multidão, ou, ao menos, o que é menos penoso de crer, feriu-a, dizendo que era preciso que o sangue real corresse, para que os súditos tivessem o direito de eleger o rei). Todavia, os aragoneses não cederam sem condição: *reservavam-se o direito de tomar armas contra qualquer violência de quem quer que quisesse se apoderar ao poder a seu modo, mesmo contra o rei e contra o príncipe herdeiro presuntivo da coroa, se fizesse uso pernicioso da autoridade.* Certamente, por essa condição, mais corrigiram do que propriamente aboliram o direito anterior. Porque, como o mostramos nos §§ 5 e 6 do capítulo IV, não é em nome do direito civil, mas em nome do direito da guerra que o rei pode ser privado do poder e que os súditos têm o direito de repelir a força com a força. Além das condições que venho de indicar, os aragoneses clausuraram outras que não se ligam ao nosso tema. Todas essas condições estabelecidas com consentimento de todos se mantiveram durante um espaço de tempo incrível, e sempre observadas com fidelidade recíproca pelos reis para com os súditos e pelos súditos para com os reis. Mas, após ter o trono passado, por herança, a Fernando de Castilha, que foi o primeiro a tomar o nome de Rei Católico, essa liberdade dos aragoneses começou a ser odiosa aos castelhanos, que não cessaram de instigar Fernando a fim de as abolir. Mas ele, embora mal-acostumado ao poder absoluto e nada ousando tentar, respondeu-lhes:

> *Recebi o reino de Aragão nas condições que sabeis, jurando observá-las religiosamente, e é contrário à humanidade violar a palavra empenhada. Mas, além disso, meti na cabeça que o meu trono não seria estável senão tanto quanto tivesse segurança igual para o rei e para os súditos, de tal maneira que nem o rei preponderasse em relação aos súditos nem os súditos em relação aos reis. Porque, uma dessas duas partes do Estado se tornasse mais poderosa, o mais*

fraco não deixaria, não somente de se esforçar para recuperar a antiga igualdade, como, ainda, em ressarcimento do prejuízo recebido, de se voltar contra a outra, donde resultará a ruína de uma ou de outra, ou talvez de ambas.

Sábias palavras que poderiam admirar-me muito, se elas tivessem sido pronunciadas por um rei acostumado a comandar escravos e não a governar homens livres. Após Fernando, os aragoneses conservaram a sua liberdade, não mais em virtude do direito, mas pelo inteiro gosto de reis mais poderosos, até Felipe II que os oprimiu não menos cruelmente e com mais êxito que as Províncias Unidas. E embora pareça que Felipe III tenha restabelecido todas as coisas no seu primitivo estado, a verdade é que os aragoneses e o maior número, por complacência com o poder, (porque, como diz o refrão, é loucura dar murros em ponta de faca), outros, por temor, não conservaram mais da liberdade que termos especiosos e usos vãos.

§ 31 — Concluamos que a multidão pode guardar sob um rei uma liberdade muito larga, dado que ela faça de modo que o poder do rei seja determinado, exclusivamente, pelo poder da multidão e mantida com a ajuda da multidão mesma. Aí está a única regra que segui ao estabelecer as condições fundamentais do governo monárquico.

Capítulo VIII — Da aristocracia

§ 1 — Falei, apenas, da monarquia. Agora, como se precisará organizar o governo aristocrático a fim de que possa durar? É o que vou expor.

Chamei governo aristocrático aquele que é dirigido não por um só, mas por um certo número de cidadãos eleitos dentre a multidão, (chamá-los-ei, doravante, patrícios). Notai que disse *um certo número de cidadãos eleitos*. Com efeito, existe essa diferença principal entre o governo democrático e o aristocrático: naquele o direito de governar depende, exclusivamente, da eleição, enquanto nesse depende, como mostrarei em lugar convinhável, seja de um direito inato, seja de um direito adquirido pela sorte. E, por conseguinte, quando mesmo, num Estado, todos os cidadãos pudessem ser admitidos a entrar no corpo do patriciado, tal direito, não sendo hereditário e não se transmitindo a outros em virtude de uma lei comum, o Estado não deixaria de ser aristocrático, e isto, porque ninguém seria recebido entre os patrícios senão em virtude de expressa eleição. Mas se admitis apenas dois patrícios, um se esforçará por ser mais poderoso que o outro, e o Estado correrá risco, por causa da grande potência de cada um, de ser dividido em duas facções e correrá o mesmo risco de sê-lo em três, quatro ou cinco facções se o governo estiver em mãos de três, quatro ou cinco patrícios. As facções, ao contrário, serão mais fracas à medida que houver maior número de governantes. Donde se segue que, para que o governo aristocrático seja estável, é preciso levar em conta a grandeza do Império a fim de determinar o *minimum* do número dos patrícios.

§ 2 — Coloquemos por princípio que para um Império de medíocre extensão é muito que haja cem homens eminentes investidos do poder soberano e, por conseguinte, do direito de escolher seus colegas à medida que alguns deles percam a vida. É claro que essas personagens farão todos os esforços imagináveis para recrutarem entre os seus filhos ou próximos, donde se concluirá que o poder soberano ficará sempre entre as mãos daqueles que a sorte fez parentes ou filhos de patrícios. E como sobre cem indivíduos a quem a sorte concedeu as honras encontrar-se-ão três que tenham uma capacidade eminente, segue-se que o governo do Estado não ficará nas mãos de cem indivíduos, mas de dois ou três somente, de talento superior, que arrastarão todo o resto. E cada um deles, segundo a comum inclinação da natureza humana, procurará abrir-se um caminho para a monarquia. Por conseguinte, em um império que por sua extensão exige ao menos cem homens eminentes, é preciso, se calculamos bem, que o poder seja deferido a cinco mil patrícios pelo menos. Dessa maneira, com efeito, não se deixará jamais de encontrar cem indivíduos eminentes, supondo, todavia, que em cinquenta pessoas que aspiram às honras e que as obtêm, encontra-se sempre um indivíduo que não seja inferior aos melhores, além dos que imitarão as suas virtudes e, consequentemente, serão dignos de governar.

§ 3 — Acontece, frequentemente, que os patrícios pertencem a uma sociedade que é a capital de todo o império e que dá seu nome ao Estado ou à República, como, por exemplo, viu-se nas repúblicas de Roma, de Veneza, de Gênova etc. Ao contrário, a república dos holandeses tira o seu nome da província inteira, donde se conclui que os súditos desse governo gozam da maior liberdade. Mas, antes de determinar as condições fundamentais do governo aristocrático, notemos a diferença enorme que existe entre um poder confiado a um só homem e o que está nas mãos de uma assembleia suficientemente numerosa. Em primeiro lugar, o poder de um só homem é sempre desproporcional ao peso de tal império (como o fizemos ver no § 5 do capítulo VI), inconveniente que não existe para uma assembleia suficientemente numerosa. Porque, do momento em que a reconheceis tal, concordais em que é capaz de suportar o peso do Estado. Por conseguinte, enquanto o rei tem necessidade de conselheiros, essa assembleia pode passar sem eles. Em segundo lugar, os reis são mortais. As assembleias, ao contrário, são eternas, e, por conseguinte, o poder do Estado, uma vez posto nas mãos de uma assembleia suficientemente numerosa, não reverte jamais à multidão, o que não acontece no governo monárquico, como o demonstramos no § 25 do capítulo precedente. Em terceiro lugar, o governo de um rei é sempre precário, devido à infância, à doença, à velhice e a outros acidentes semelhantes, enquanto que o poder de uma assembleia subsiste uno e sempre o mesmo. Em quarto lugar, a vontade de um só homem é muito variável e muito inconstante, donde resulta que todo direito do Estado monárquico está na vontade explícita do rei (como o fizemos ver no § 1 do capítulo precedente), sem que por isso toda vontade do rei deva ser direito. Ora, essa dificuldade desaparece quando se trata da vontade de uma assembleia suficientemente numerosa. Porque essa assembleia, não tendo necessidade de conselheiros, como se acaba de dizer, segue-se que toda a vontade explícita que dela emane é o direito mesmo. Concluo daí que o governo confiado a uma assembleia suficientemente numerosa é um governo absoluto ou ao menos aquele que o aproxima mais de um governo absoluto. Porque se há governo absoluto é aquele que reside nas mãos da multidão toda inteira.

§ 4 — Todavia, enquanto o poder, num Estado aristocrático, não reverte jamais à multidão, como foi explicado mais acima, e a multidão não tem voz deliberativa e sendo o direito toda vontade do corpo dos patrícios, o governo aristocrático deve ser considerado como inteiramente absoluto, e, quando se trata de lhe dar as bases, é preciso apoiar-se unicamente na vontade e no julgamento da assembleia dos patrícios, e não na vigilância da multidão, pois que essa não tem voz consultiva nem direito de sufrágio. O que faz que na prática esse governo não seja absoluto é que a multidão é um objeto de temor para os governantes e que, por causa disso mesmo, ela obtém alguma liberdade, não por uma lei expressa, mas por uma secreta e efetiva reivindicação.

§ 5 — Torna-se, pois, evidente que a melhor condição possível do governo aristocrático é de ser o mais possível um governo absoluto, é de temer o menos possível a multidão, e de não dar nenhuma outra liberdade que a que deriva necessariamente da constituição do Estado, liberdade que desde logo é menos o direito da multidão que o direito do Estado todo inteiro, reivindicado e conservado somente pelos patrícios. Sob essa condição, com efeito, a prática estará de acordo com a teoria (como resulta do § precedente, e, aliás, a coisa é por si manifesta). Porque é claro que o governo estará tanto menos nas mãos dos patrícios quanto a plebe reivindicar mais direitos, como acontece na Baixa-Alemanha, nesses colégios de artesãos que se chamam *gilden*.

§ 6 — Não é preciso temer, porque o poder pertença absolutamente à assembleia dos patrícios, que haja perigo para a plebe cair numa funesta escravidão. Com efeito, o que determina a vontade de uma assembleia suficientemente numerosa é mais a razão do que a paixão. Porque a paixão impele sempre os homens em sentidos contrários, e não existe senão o desejo das coisas honestas, ou ao menos das coisas que têm uma aparência de honestidade, que os una num só pensamento.

§ 7 — Assim, pois, o ponto capital no estabelecimento das bases do governo aristocrático é que é preciso apoiá-lo na só vontade e no só poder da assembleia suprema, de tal sorte que essa assembleia se pertença, tanto quanto possível, a si mesma e não tenha nenhum perigo a recear da multidão. Ensaiemos atingir esse fim, e, por aí, lembremos quais são, no governo monárquico, as condições da paz do Estado, condições que são próprias à monarquia e, consequentemente, estranhas ao governo aristocrático. Se chegarmos a substituir por condições equivalentes convinháveis à aristocracia, todas as causas de sedição serão suprimidas, e teremos um governo onde a segurança não seja menor do que no governo monárquico. Ela será mesmo tanto maior e a condição geral do Estado será tanto melhor quanto a aristocracia está mais próxima que a monarquia do governo absoluto, e, isso, sem prejuízo para a paz e a liberdade. (Ver os §§ 3 e 6 do capítulo presente.) Maior, com efeito, o direito do soberano poder, mais a forma do Estado concorda com os dados da razão (pelo § 5 do capítulo III) e mais, por conseguinte, é próprio para conservar a paz e a liberdade. Percorramos, pois, as questões tratadas no capítulo VI, § 9, a fim de rejeitar todas as instituições inconciliáveis com a aristocracia e apontar as que lhe convêm.

§ 8 — Primeiramente, que seja necessário fundar e fortificar uma ou várias cidades é o que ninguém porá em dúvida. Mas é preciso, principalmente, fortificar a capital do Império e, também, as cidades de fronteiras. Com efeito, é claro que a cidade que é cabeça do Estado e que possui o direito supremo deve ser mais forte que todas as outras. De resto, é inteiramente inútil, nesse governo, dividir os habitantes em famílias.

§ 9 — No concernente ao exército, dado que no governo aristocrático não é entre todos os cidadãos, mas somente entre os patrícios que é preciso procurar a igualdade, e, aliás, antes de tudo, dado que o poder dos patrícios é maior que o da plebe, segue-se que o exército unicamente formado de cidadãos, com a exclusão dos estrangeiros, não é uma instituição que derive das leis necessárias desse governo. O que é indispensável é que ninguém seja recebido no número dos patrícios se não conhecer perfeitamente a arte militar. Alguns vão até afirmar que os cidadãos não devem fazer parte do exército. É um exagero absurdo. Porque, além de que o soldo pago aos cidadãos fica no império, em lugar de se perder se fosse pago a estrangeiros, acrescentai que excluir os cidadãos do exército é alterar a maior força do Estado. Não é certo, com efeito, que eles combatem com uma virtude singular, pois lutam por seus altares e seus lares? Concluo daí que ainda é um erro querer escolher os generais do exército, os tribunos, os centuriões etc. somente entre os patrícios.

Como encontrareis vós a virtude militar, aí, de onde afastais toda esperança de honra e de glórias? Por outro lado, proibir aos patrícios engajar tropa estrangeira, quando as circunstâncias o exigem, seja em sua própria defesa ou para reprimir as sedições, seja por outros motivos quaisquer, seria medida inconsiderada e contrária aos direitos soberanos dos patrícios (ver §§ 3,4 e 5 do capítulo presente). De resto, o general de um corpo de tropas ou da armada toda inteira deve ser eleito somente para o tempo da guerra e somente entre os patrícios. Deve, apenas, comandar por um ano no mais e não pode ser nem continuado nem mais tarde ser reeleito. Essa lei, necessária na monarquia, é ainda mais necessária no governo aristocrático.

Com efeito, como o dissemos mais acima, embora seja mais fácil transferir um império de um só indivíduo a um outro que o de uma assembleia livre a um só indivíduo, sucede, todavia, frequentemente, que os patrícios são oprimidos por seus generais e, isso, com um enorme prejuízo para a república. Com efeito, quando um monarca é suprimido, há mudança, não de um governo, mas somente de tirano. Mas num governo aristocrático, quando há um chefe, todo Estado é destruído, os principais cidadãos caem em ruína. Viram-se em Roma os exemplos mais desastrados.

Os motivos que nos fizeram dizer que numa monarquia o exército deve ter soldo não existem mais para um governo aristocrático. Porque os súditos, sendo afastados dos Conselhos do Estado e privados do direito de sufrágio, devem ser considerados como estrangeiros, e, por conseguinte, as condições de seu engajamento no exército não podem ser menos favoráveis que as dos estrangeiros. Não há temer aqui que existam preferências para eles. Seria mesmo sábio, a fim de que ninguém fosse, segundo o costume, um apreciador parcial de suas ações, que os patrícios fixem uma remuneração determinada para o serviço militar.

§ 10 — Por essa mesma razão de que todos os súditos, com exceção dos patrícios, são estrangeiros, e não se pode fazer sem perigo capital para o Estado, que os campos, as casas e todo o solo fiquem propriedade pública e sejam alugados aos habitantes mediante um preço anual. Com efeito, os súditos, não tendo nenhuma parte no governo do Estado, não deixarão, em caso de calamidade, de abandonar as cidades se lhes for permitido levar para onde quiserem os bens que estiverem ao seu alcance. Assim, pois, os campos e as propriedades não serão alugadas aos súditos, mas vendidas sob a condição, todavia, de que canalizem para o tesouro, todos os anos, uma parte determinada de sua colheita etc. como se faz na Holanda.

§ 11 — Passo à organização que seria preciso dar à assembleia suprema. Fez-se ver, no § 2 do presente capítulo, que para um império de medíocre extensão os membros dessa assembleia devem ser em número de cinco mil e, por conseguinte, é preciso avisar que essa cifra, em lugar de decrescer por graus, ao contrário, aumenta à proporção que o império se dilata. Depois, é necessário fazer de sorte que a igualdade se conserve, tanto quanto possível, entre os patrícios, e que, também, a expedição dos negócios na assembleia se faça prontamente. Enfim, que o poder dos patrícios ou da assembleia seja maior que o da multidão, sem que todavia a multidão sofra nenhum prejuízo.

§ 12 — Ora, para obter esse resultado, uma grande dificuldade se levanta. E de onde vem ela? Da inveja. Porque os homens, já o dissemos, são naturalmente inimigos, de modo que, por mais ligados que estejam pelas instituições sociais, ficam tais quais a natureza os produziu e aí está, penso, a explicação por que os governos democráticos se mudam em aristocracia e as aristocracias em monarquias. Porque me persuado, facilmente, que a maioria dos governos aristocráticos tem sido primeiro democrática. Uma massa de homens procura novas moradias, encontra-as e zela-as. Até aí o direito de mandar é igual em todos, e nenhum dá, voluntariamente, o poder a outro. Mas, embora cada um encontre acertado ter ao lado do seu vizinho o mesmo direito que o seu vizinho tem em relação a si, não acha igualmente justo que estrangeiros, que vieram em grande número fixar-se no país, tenham um direito igual ao seu, no seio de um Estado que fundaram por si mesmos com grandes trabalhos e com o preço do seu sangue. Ora, esses estrangeiros mesmos, que não vieram para tomar parte nos trabalhos do Estado, mas que se ocuparem dos seus, deles, negócios particulares, reconhecem sua desigualdade, pensam que se lhes concede muito, permitindo-se-lhes poder zelar dos seus interesses domésticos, com segurança. Todavia, a população do Estado aumenta pela afluência dos estrangeiros e pouco a pouco esses tomam os costumes da nação, até que, enfim, não se distinguem mais senão por essa diferença de não terem direitos às funções públicas. Ora, enquanto o número dos estrangeiros cresce todos os dias, o dos cidadãos diminui por muitas causas. Frequentemente as famílias vêm a extinguir-se. Outras são excluídas do Estado, por causa de crimes. A maioria, por causa do mau estado dos seus negócios privados, negligencia a coisa pública, e, durante esse tempo, um pequeno número de cidadãos poderosos procura, se não um fim, reinar sós. E é assim que, gradativamente, o governo cai nas mãos de poucos e depois nas de um só. Eis algumas das causas que destroem os governos, e há muitas outras que poderia indicar. Mas são muito conhecidas, e as passo em silêncio para expor, com ordem, as leis que devem ser para o governo aristocrático como um princípio de estabilidade.

§ 13 — A primeira dessas leis é a que determinará a relação dos números dos patrícios ou a população geral do Estado. Essa relação, com efeito (segundo o § 1 do capítulo precedente), deve ser tal que o número dos patrícios cresça em razão do acréscimo da população. Ora, já vimos (§ 2 do presente capítulo) que convém existir um patrício para cinquenta indivíduos pelo menos. Porque o número dos patrícios (§ 1 do presente capítulo) poderia ser maior, sem que a forma do Estado fosse mudada, não existindo o perigo senão com o seu pequeno número. Agora, por que meio se deve velar por que essa lei não sofra nenhum atentado? É o que mostrarei logo, em momento oportuno.

§ 14 — Os patrícios são escolhidos em certas famílias somente e em certos lugares. Mas estabelecer que será assim por lei expressa seria perigoso.

Porque, além de que, frequentemente, vêm a extinguir-se e há uma espécie de ignomínia para as famílias excluídas, ajuntai que repugna a forma de governo de que falamos, que a dignidade patrícia seja hereditária (§ 1 do capítulo presente). Mas por esta razão, esse governo parece ser mais uma democracia, tal como a descrevemos no § 12 do presente capítulo, isto é, um Estado, onde o poder está nas mãos de um pequeno número de cidadãos. De outro lado, querer impedir aos patrícios eleger seus filhos e seus parentes, de modo que o poder não se perpetue senão em algumas famílias, é uma coisa impossível e mesmo absurda como o farei ver mais adiante no § 39. Assentado, pois, que os patrícios não obtêm esse privilégio por uma lei expressa e que os outros cidadãos não sejam excluídos (falo dos que nasceram no Império, que falam a língua, que não esposaram estrangeiras, que não se infamaram, que, enfim, não vivem do ofício de domésticos ou de qualquer outro trabalho servil, e considero os mercadores de vinho e de cerveja nessa última categoria), o Estado conservará sua forma, e a relação entre os patrícios e a multidão poderá ser sempre conservada.

§ 15 — Se se estabelecesse, além disso, por uma lei, que ninguém seja eleito antes de uma certa idade, jamais sucederá que o poder se concentre em um pequeno número de famílias. É preciso, pois, que exista uma lei que interdite de se pôr o nome na lista dos elegíveis, daqueles que ainda não completaram trinta anos.

§ 16 — Em terceiro lugar, será estabelecido que todos os patrícios, em certas épocas marcadas, se reúnam em dado lugar determinado da cidade e que todo ausente, que não houver sido impedido por doença ou por qualquer serviço público, seja multado pecuniária e fortemente. Sem isto, com efeito, o maior número negligenciaria os negócios públicos para se ocupar dos seus negócios privados.

§ 17 — A função dessa assembleia é fazer as leis e ab-rogá-las, escolher os patrícios e todos os funcionários do Estado. É impossível, com efeito, que um corpo que possui, como a assembleia de que se trata, o direito soberano dê, a quem quer que seja, o poder de fazer as leis ou de as ab-rogar, sem abandonar logo o seu direito e pô-lo nas mãos daquele ao qual daria um tal poder. Porque possuir, mesmo um só dia, o poder de fazer as leis e de as ab-rogar, é ficar com a possibilidade de modificar toda a organização do Estado. E o mesmo acontece com a administração dos negócios quotidianos. A assembleia pode-se desencarregar por certo tempo sem nada perder do seu direito soberano. Acrescentemos que se os funcionários do Estado fossem eleitos por outro que não a assembleia, essa seria composta, não de patrícios, mas de pupilos.

§ 18 — Há povos que dão à assembleia dos patrícios um diretor ou príncipe, ora nomeado vitaliciamente, como em Veneza, ora temporariamente, como em Gênova, mas isso se faz com tais precauções que se vê perfeitamente que essa eleição põe o Estado em grande perigo. É fora de dúvida, com efeito, que o Estado se aproxima, então, muito, da monarquia. O bastante que se sabe da história desses povos dá em pensar que, antes da constituição das assembleias patrícias, eles tinham tido uma espécie de rei sob o nome de diretor ou de *doge*. E, por conseguinte, a instituição de um diretor pode bem ser uma necessidade premente de tal nação, mas não do governo aristocrático considerado de maneira absoluta.

§ 19 — Todavia, como o soberano poder está nas mãos da assembleia toda inteira, e não de cada um dos seus membros, porque de outra forma não seria mais que uma multidão em desordem, é necessário que os patrícios estejam tão estreitamente ligados entre si pelas leis, que não componham senão um só corpo, regido por uma só alma. Ora, as leis por si sós são fracas barreiras fáceis de quebrar, sobretudo quando os homens, incumbidos de velar pela sua conservação, são os mesmos que podem violá-las e que são obrigados a se manter reciprocamente, na ordem, pelo temor do castigo. Há pois, aí, um círculo vicioso enorme, e devemos procurar um meio de garantir a constituição da assembleia e as leis do Estado, de tal sorte, todavia, que haja entre os patrícios a maior igualdade possível.

§ 20 — Ora, como a instituição de um só diretor ou príncipe, que teria também o direito de sufrágio na assembleia, induz, necessariamente, uma grande desigualdade (porque é preciso, se se a institui, dar-lhe o poder necessário para se desempenhar de sua função), não creio, para bem considerar todas as coisas, que nada se possa fazer de mais útil à salvação comum que criar uma segunda assembleia, formada de certo número de patrícios, e unicamente encarregada de velar pela manutenção inviolável das leis do Estado no que respeita aos corpos deliberantes e aos funcionários públicos. Essa assembleia terá, em consequência, o direito de citar à sua barra e de condenar, segundo as leis, todo funcionário público que for faltoso aos seus deveres. Darei aos membros dessa segunda Assembleia o nome de síndicos.

§ 21 — Os síndicos devem ser eleitos vitaliciamente. Se, com efeito, fossem eleitos temporariamente de tal modo que pudessem ser convocados a qualquer momento para outras funções, cairíamos no inconveniente já assinalado no § 19 do presente capítulo. Mas para que um longo domínio não lhes exalte o orgulho, será estabelecido que ninguém seja síndico, a não ser depois de haver atingido a idade de sessenta anos e ter desempenhado a função de senador de que falarei mais abaixo.

§ 22 — O número dos síndicos será fácil de fixar, se considerarmos que estão para os patrícios como esses para a multidão. Ora, os patrícios não podem governar a não ser que o seu número não fique abaixo de um certo mínimo. Precisará, pois, que o número dos síndicos seja para o dos patrícios como os desses para o dos súditos, isto é (pelo § 13 do presente capítulo), em relação de um para cinquenta.

§ 23 — Além disso, a fim de que o conselho dos síndicos possa preencher o seu ofício com segurança, é preciso pôr à sua disposição uma parte do exercício ao qual possa dar as ordens que entender.

§ 24 — Não haverá para os síndicos e, em, geral, para os funcionários nenhum vencimento fixo, mas somente subsídios combinados de tal modo que não possam mal administrar a república sem grandes prejuízos para eles. Porque é justo, de uma parte, fixar uma remuneração aos funcionários públicos, sendo a maior parte dos habitantes o povo e não se ocupando ele que dos seus negócios privados, enquanto que os patrícios somente se ocupam dos negócios públicos e velam pela segurança de todos. Mas, de outro lado (como o dissemos no § 4 do capítulo VII) ninguém defende os interesses dos outros senão enquanto acredita que, assim, defende os seus próprios, e, por conseguinte, as coisas devem ser de tal modo dispostas que os funcionários públicos trabalhem tanto mais para o seu bem pessoal quanto procurem mais o bem geral.

§ 25 — Eis, pois, os subsídios que convirão fixar aos síndicos, cujo ofício, repito, é velar pela conservação das leis do Estado: que cada pai de família tendo a sua residência no império seja obrigado a pagar, cada ano, aos síndicos, uma pequena soma, o quarto de uma onça de prata, por exemplo; seria um meio de constatar a cifra da população e de ver em que relação está com o número dos patrícios. Depois, que cada patrício, novamente eleito, pague aos síndicos uma soma considerável, por exemplo, vinte ou vinte e cinco libras de prata. Atribuir-se-ão ainda aos síndicos: 1) as multas pecuniárias infligidas aos patrícios ausentes (falo dos que faltarem a uma convocação da Assembleia); 2) uma parte dos bens dos funcionários delinquentes que compareceram diante do tribunal dos síndicos e foram atingidos de multa ou condenados ao confisco. Noteis que não se trata, aqui, de todos os síndicos, mas, somente, dos que trabalham todos os dias e cujo ofício é convocar em conselho seus colegas (ver § 28 do presente capítulo).

Para que o conselho dos síndicos mantenha a cifra normal de seus membros, é preciso que essa questão seja levantada antes de todas as outras cada vez que a Assembleia suprema se reunir em épocas legais. Se os síndicos descuidarem dessa cautela, o presidente do Senado (falaremos em breve desse novo corpo) deverá advertir a Assembleia, exigindo do presidente dos síndicos o dar a razão do seu silêncio, e inquirir, afinal, a opinião da Assembleia sobre esse assunto. O presidente do Senado guarda também silêncio? O negócio concerne, então, ao presidente do tribunal supremo ou se este último cala, a qualquer patrício, que pedirá conta do seu silêncio, tanto ao presidente dos síndicos, como ao presidente do Senado e aos dos juízes.

Enfim, para que a lei que interdiz aos cidadãos muito jovens fazer parte da Assembleia seja estritamente mantida, é preciso que todos os cidadãos, chegados à idade de trinta anos que não são excluídos do governo por nenhuma lei, façam inscrever o seu nome num registro em presença dos síndicos e receber desses magistrados, mediante uma retribuição determinada, algum signo da honra que lhes é conferida.

Preenchida essa formalidade, serão autorizados a levar um ornamento somente a eles reservado, e que lhes servirá de signo distintivo e honorífico. Ao mesmo tempo, uma lei proibirá a qualquer patrício eleger um cidadão cujo nome não estiver inscrito no registro em questão e, isso, sob severa pena. Além disso, ninguém terá a faculdade de recusar o mister ou a função que lhe for conferida por eleição. Enfim, para que todas as leis absolutamente fundamentais do Estado sejam eternas, será estabelecido que, se na Assembleia suprema alguém levantar uma objeção sobre uma lei dessa natureza, propondo, por exemplo, prolongar o comando de um general do exército, ou diminuir o número dos patrícios ou qualquer outra coisa semelhante, no mesmo instante será acusado do crime de lesa-majestade, punido de morte, seus bens confiscados, e que fique, para a memória eterna do seu crime, algum símbolo público eloquente do suplício. Quanto às outras leis do Estado, bastará que nenhuma lei possa ser ab-rogada, nenhuma lei nova introduzida se, antes, o conselho dos síndicos e, em seguida, os três quartos ou os quatro quintos da Assembleia suprema não se puseram de acordo nesse ponto.

§ 26 — O direito de convocar a assembleia suprema e de propor as decisões a tomar pertencerá aos síndicos, que terão, além disso, o primeiro lugar na assembleia, mas sem o direito de sufrágio. Antes de tomar assento, jurarão, em nome da salvação da assembleia e da liberdade pública, que empenharão todos os seus esforços para conservar as leis do Estado e procurar o bem geral. Prestado esse compromisso, o secretário do conselho dos síndicos anunciará a série dos negócios a pôr em discussão.

§ 27 — Importa que todos os patrícios tenham um poder igual, seja nas decisões da assembleia seja na escolha dos funcionários públicos, e importa, também, que a expedição dos negócios se execute prestesmente. Ora, o uso de Veneza é aqui muito digno de aprovação. Quando se trata de eleger os funcionários públicos, tiram à sorte os nomes de um certo número de membros da assembleia que são encarregados de designar as pessoas eleitas. À medida que se fez a designação, cada patrício dá o seu parecer, aprova ou desaprova a escolha do funcionário proposto, e, isso, por meio de bolas, a fim de que se ignore por quem cada um votou. Procedendo dessa maneira, tem-se não somente em vista a igualdade do poder entre os patrícios e a pronta expedição dos negócios, mas se quer, também, e é em efeito uma coisa absolutamente necessária nas assembleias, quer-se que cada um tenha liberdade absoluta de votar como lhe apraza sem ter nenhum ódio a temer.

§ 28 — Proceder-se-á da mesma maneira no conselho dos síndicos e nas outras assembleias, isto é, votar-se-á por meio de bolas. Quanto ao direito de convocar o conselho dos síndicos, pertencerá ao seu presidente, o qual tomará assento todos os dias com dez outros síndicos ou um maior número, para ouvir as queixas do povo sobre funcionários e as acusações secretas para assegurar-se da pessoa dos acusadores se isso for necessário, enfim, para convocar a assembleia suprema, antes mesmo da época legalmente fixada, se um dos síndicos julgar que haverá perigo em adiar essa convocação. O presidente e os que se reunirem todos os dias com ele devem ser eleitos pela assembleia suprema. São tomados dos conselhos os síndicos e não nomeados vitaliciamente, mas só por seis meses, sem poderem ser reeleitos antes de um intervalo de três ou quatro anos, e é a eles, como se disse mais acima, que revertem os bens confiscados e as multas pecuniárias ao menos em parte. Enunciaremos mais adiante o que respeito diz à organização do sindicato.

§ 29 — Existirá uma segunda assembleia subordinada à Assembleia suprema. Chamá-la-emos Senado. Sua função é dirigir os negócios públicos, por exemplo, promulgar as leis do Estado, regular, conforme as leis, o que respeita à fortificação das cidades, conceder patentes de serviço militar, fixar os impostos e os dividir, atender aos embaixadores estrangeiros e decidir aonde é preciso enviar embaixadas. O direito de escolher embaixadores do Estado pertence à Assembleia suprema. Direi neste momento que é preciso, acima de todas as coisas, impedir que um patrício possa ser chamado a uma função pública de outra forma que por escolha da assembleia. Sem isso os patrícios procurariam captar o favor do Senado. É também a Assembleia suprema que deverá estatuir, definitivamente, sobre as medidas que mudam, de um modo ou de outro, a situação presente do Estado, por exemplo, a paz ou a guerra. As decisões do Senado nesse particular não terão, pois, força legal senão após ter sido confirmadas pela Assembleia, e pela mesma razão inclinar-me-ia a confiar à Assembleia, de preferência ao Senado, o direito de estabelecer novos impostos.

§ 30 — Qual será o número dos senadores? Para resolver essa questão, é preciso considerar, primeiro, que importa que todos os patrícios tenham uma esperança igual de entrar na ordem senatorial. Depois, é preciso também que os senadores, quando se tiver escoado o tempo de suas funções, possam ser reeleitos após um intervalo pequeno, a fim de que os negócios do Estado estejam sempre em mãos hábeis e experimentadas. Enfim, é desejável que o Senado encerre um grande número de homens ilustres por sua sabedoria e por sua virtude. Ora, se se quer obter todas essas condições, o melhor é estabelecer por uma lei: 1°) que ninguém será recebido na ordem senatorial senão depois de ter atingido a idade de cinquenta anos; 2°) que o Senado se comporá da duodécima parte dos patrícios, isto é, de quatrocentos membros eleitos por um ano; 3°) que, transcorrido esse ano, os mesmos senadores poderão ser reeleitos após um intervalo de dois anos. Dessa maneira, haverá sempre um duodécimo dos patrícios preenchendo o ofício senatorial com intervalos curtíssimos. Ora, esse número, juntado ao dos síndicos, não estará muito abaixo do número total dos patrícios que tenham a idade de cinquenta anos. E, por conseguinte, todos os patrícios terão sempre uma grande esperança de entrar seja no Senado, seja no conselho dos síndicos, o que não impedirá que os mesmos patrícios continuem, após curtos intervalos, a exercer as funções senatoriais de modo que o Senado não deixará, jamais (pelo que se disse no § 2 do presente capítulo) de ter homens superiores, poderosos pela sabedoria e habilidade. E como essa organização não pode ser quebrada sem excitar os ressentimentos de um grande número de patrícios, não tem necessidade, para assegurar-lhe a manutenção, de nenhuma outra precaução do que essa a saber, que cada patrício, chegado à idade indicada, prove-a aos síndicos, os quais inscreverão seu nome na lista dos patrícios capazes das funções senatoriais, e o proclamarão na Assembleia suprema, a fim de que ocupe o lugar designado aos seus pares, junto ao dos senadores.

§ 31 — Os subsídios dos membros do Senado deverão ser arbitrados de tal sorte que tenham mais interesse na paz do que na guerra. Conceder-se-lhes-á, pois, um centésimo ou uma quinquagésima parte sobre todas as mercadorias exportadas para o estrangeiro ou importadas no império. Dessa maneira não é duvidoso que eles sejam partidários da paz e jamais queiram a guerra, fazendo-a perdurar. De resto, os próprios senadores, mesmo que sejam comerciantes, não serão isentos desse imposto. Porque uma tal imunidade seria; como todo o mundo o reconhecerá, muito prejudicial ao comércio.

Demais, todo senador ou todo patrício, tendo preenchido as funções senatoriais, será excluído dos empregos militares, e mesmo não será permitido escolher um general ou um pretor (os quais, aliás, como já o dissemos no § 9 do presente capítulo, não podem ser eleitos senão em tempo de guerra) entre aqueles cujo pai ou avô é senador e desempenhou as funções senatoriais há menos de dois anos. Não há duvidar que os patrícios que estão fora do Senado defendam com energia essas leis. Donde se segue que os senadores terão sempre mais interesse na paz do que na guerra e, por conseguinte, não aconselharão a guerra senão em caso de suprema necessidade.

Mas, objetar-se-nos-á, se concedeis aos síndicos e aos senadores fartos subsídios, tornareis um governo aristocrático mais oneroso aos súditos que qualquer monarquia. Respondo que o nosso governo é, ao menos, liberto das despesas que acarreta nas monarquias a existência de uma corte, despesas que não são feitas tendo em vista a paz. Demais, digo que a paz não pode ser comprada muito cara. Além disso, enfim, acrescentai que todas as vantagens conferidas pelo governo monárquico a um só indivíduo ou a um pequeno número são, aqui, a partilha de um grande número de cidadãos. Considerai, ainda, que os reis e seus ministros não suportam em comum com os súditos os cargos do império, o que sucede, em contrário, no nosso governo. Porque os patrícios, que são sempre escolhidos entre os mais ricos, suportam a mais pesada parte dos encargos do Estado. Enfim, os encargos da monarquia não derivam tanto de suas despesas públicas quanto das secretas, enquanto os cargos do Estado impostos aos cidadãos para proteger a paz e a liberdade, por maiores que sejam, suporta-se-os com paciência tendo em vista esses grandes fins. Que nação pagou jamais tão pesados impostos como a holandesa? E não somente não se esgotou, senão que seus recursos ficaram tão grandes que se tornam objeto de inveja para outras nações. Digo que se os cargos da monarquia fossem impostos para o bem da paz, os cidadãos não seriam esmagados. Mas são as despesas secretas que fazem com que os súditos sucumbam sob o peso. Ajuntai que os reis têm mais ocasiões de demonstrar na guerra que na paz a virtude que lhes é própria, e, também, os que querem mandar sós fazem, naturalmente, tudo o que podem para ter súditos pobres, sem falar de muitos outros inconvenientes que outrora assinalou o sapientíssimo holandês V. H. (Van Hove) e que não tem nenhuma relação com o meu assunto, que é, somente, descrever o melhor estado possível de cada espécie de governo.

§ 32 — Deverá haver na Assembleia suprema alguns síndicos (que não tenham, aliás, o direito de sufrágio) encarregados de velar pela manutenção das leis que concernem a essa mesma assembleia e de convocá-la cada vez que houver alguma decisão a lhe submeter por parte do Senado. Porque, como já foi dito, é aos síndicos que pertence o direito de convocar a Assembleia suprema e de propor-lhe as medidas a adotar. Antes de recolher os sufrágios, o presidente do Senado exporá o estado dos negócios e o parecer do Senado sobre a medida em questão e os motivos desse parecer. Isto feito, os sufrágios serão recolhidos na ordem costumada.

§ 33 — O senado todo inteiro não se deve reunir todos os dias, mas, como todas as grandes assembleias, em datas fixas. Ora, como durante o intervalo das sessões os negócios do Estado devem seguir o seu curso, é necessário eleger um certo número de senadores, que, quando o Senado em férias, tome o seu lugar, e cujo ofício seja de convocar o próprio Senado, quando houver necessidade, executar o que decretou referente aos negócios do Estado, ler as cartas endereçadas ao Senado e à Assembleia suprema, enfim, deliberar sobre as questões que houve de se propor ao Senado. Mas, a fim de que tudo isto e a ordem inteira da operação desse corpo sejam mais facilmente compreendidos, vou precisar com o maior cuidado a minha exposição.

§ 34 — Os senadores, eleitos por um ano, como o dissemos, serão divididos em quatro ou seis ordens, das quais a primeira tomará o primeiro lugar no Senado, durante dois ou três primeiros meses. Transcorrendo esse tempo, a segunda ordem tomará o lugar da primeira e assim consecutivamente, de tal sorte que cada ordem ocupe, por seu turno, o primeiro lugar durante um espaço de tempo, de tal modo que o que foi primeiro nos primeiros meses torne-se último nos segundos. Além disso, precisará eleger-se presidentes e vice-presidentes, quantas sejam as ordens, quero dizer, que cada ordem terá seu presidente e seu vice-presidente e que o presidente da primeira ordem presidirá o Senado durante os primeiros meses, ou, se estiver ausente, será substituído por seu vice-presidente, e assim, de seguida, para as outras ordens. Eleger-se-á na primeira ordem por via de sufrágio ou, pela sorte, um certo número de membros, que na ausência do Senado fará seu lugar com o presidente dessa ordem e o vice-presidente, e, isso, durante o mesmo espaço de tempo em que a sua ordem ocupa no Senado o primeiro lugar. Escoado esse tempo, eleger-se-á, por voto ou por sorte, na segunda ordem, um mesmo número de membros que, com seu presidente e seu vice-presidente, tomarão lugar na primeira ordem e suprirão o Senado ausente. E, assim, consecutivamente, para as outras. Ora, não é necessário que a eleição dos seus membros, que chamaremos *cônsules,* se faça pela Assembleia suprema. Porque a razão que demos para explicar tais eleições no § 29 do presente capítulo não se aplica aqui, e muito menos a do § 17. Basta que sejam escolhidos pelo Senado e pelos síndicos presentes.

§ 35 — Quanto ao seu número não posso determiná-lo com tanto cuidado. É certo, todavia, que devem ser muito numerosos para que seja difícil corrompê-los. Porque embora não decidam nada por si sós no tocante à cousa pública, todavia, podem protelar longamente as deliberações do Senado, e mesmo, o que seria pior, ludibriá-lo, propondo negócios de pouca importância e guardando silêncio sobre aqueles de grande interesse. Acrescentai que, se forem em pequeníssimo número, a ausência de um só ou de dois dentre eles poderia retardar os negócios do Estado. Esses conselhos não sendo instituídos senão por que as grandes assembleias não se podem ocupar todos os dias dos interesses públicos, é preciso encontrar um meio de resolver a dificuldade e suprir a falta do número pela rapidez do tempo. Eleger-se-ão, pois, trinta membros ou mais ou menos esse número, por dois ou três meses somente, e, desde então, serão bastante numerosos para não poder, nesse curto espaço de tempo, ser acessíveis à corrupção. Eis, também, por que adverti que os cônsules que forem eleitos para substituir os que completarem o seu tempo não deverão sê-lo a não ser no momento mesmo em que tomarem o lugar dos precedentes.

§ 36 — Disse, além disso, que o ofício desses cônsules é de convocar o Senado, quando alguns, dentre eles, sendo em pequeno número, o julguem necessário, de propor ao Senado as decisões a tomar; de o licenciar e de executar seus decretos no tocante aos negócios públicos. Ora, em que ordem tudo isso se fará? É o que vou dizer em poucas palavras, evitando detenças inúteis.

Os cônsules deliberarão sobre o negócio que deve ser proposto ao Senado e sobre o que convém decidir. Se todos se encontram de acordo, convocam o Senado, expõem a questão, emitem seu parecer e, sem esperar o dos outros, recolhem os sufrágios. Se, ao contrário, houver diversidade de opinião, então começa-se por comunicar ao Senado o parecer da maioria dos cônsules. Esse parecer, não sendo aprovado pela maioria do Senado e havendo um número de vozes oponentes ou incertas maiores do que devia sê-lo e constatado, como se disse, pelas bolas, os cônsules então darão a conhecer o parecer que obteve entre eles menos sufrágios que o precedente, e, assim, consecutivamente, para os outros pareceres propostos. Se nenhum desses pareceres for aprovado pela maioria do Senado todo inteiro, o Senado marcará nova sessão para o dia seguinte, a fim de que os cônsules procurem ver se não há, no intervalo, um parecer que agrade mais à maioria. Se não encontrarem nenhum expediente ou não chegarem a fazê-lo aceitar pela maioria, convida-se então cada senador a exarar o seu parecer e se nenhum deles reunir a maioria, é preciso, então, tomar de novo os votos sobre cada parecer, levando em conta, não mais, somente, como se fez até agora, bolas aprovativas, mas, também, oponentes e incertas. Se se encontra um número de vozes aprovativas superior ao número das vozes oponentes ou incertas, o parecer proposto considera-se ratificado. E considera-se nulo, ao contrário, se o número dos oponentes é maior que o dos incertos e dos aprovativos.

Admiti agora que para todos os pareceres haja mais incertos do que oponentes ou aprovativos. Em tal caso, o conselho dos síndicos deverá reunir-se no Senado e votar com ele, com a precaução de não empregar senão bolas aprovativas ou oponentes e deixar de lado os votos incertos. Proceder-se-á do mesmo modo nos negócios submetidos pelo Senado à Assembleia suprema. Eis o que tinha a dizer do Senado.

§ 37 — No que respeito diz à organização judiciária, as bases não podem ser as mesmas que as que expusemos no capítulo VI, § 27 e seguintes, como convenientes à monarquia. Com efeito, não está no espírito do governo aristocrático (ver § 14 do presente capítulo) de não levar em nenhuma conta raças e famílias. Aos demais disso, os juízes, sendo exclusivamente escolhidos entre os patriotas, serão contidos pelo temor dos seus sucessores e terão cuidado de não pronunciar contra nenhum patrício uma sentença injusta. Talvez mesmo, não terão a força de puni-los na necessária medida. Ao contrário, tudo ousarão contra o povo e farão dos ricos a sua presa. É por esse motivo, sei-o, que muitos políticos aprovam os costumes que têm os genoveses de escolher os seus juízes, não entre os patrícios, mas entre os estrangeiros. Para mim, que reflito aqui, de maneira abstrata e geral, parece-me absurdo que sejam estrangeiros e não patrícios os encarregados de interpretar as leis. Porque, que são os juízes senão os intérpretes da lei? Eis por que me persuado que os genoveses, nesse particular, mais consideraram o gênio de sua nação que a natureza do seu governo. Trata-se pois, para nós, que consideramos a questão em geral, de encontrar as condições de organização judiciária mais convenientes à forma aristocrática.

§ 38 — Quanto ao número dos juízes, a forma aristocrática não indica nenhuma de particular. É preciso que haja aqui, como na monarquia, muitos juízes para que um simples particular esteja na impossibilidade de corrompê-los. Porque seu ofício é somente velar para que ninguém faça agravos a outrem, de regular, consequentemente, os litígios entre pessoas, tanto patrícios como plebeus, de punir os delinquentes, mesmo patrícios, síndicos ou senadores, quando violarem as leis que obrigam todos os cidadãos. Quanto às querelas que possam surgir entre as cidades que fazem parte do império, é da Assembleia suprema decidi-las.

§ 39 — A duração das funções de juiz é a mesma, qualquer que seja o governo. É preciso, por isso, que cada ano uma parte dos juízes se retire. E, enfim, embora não seja necessário que cada juiz pertença a uma família diferente, não se permitirá a dois parentes ter assento ao mesmo tempo no tribunal. A mesma precaução deverá ser tomada nas outras assembleias, exceto na Assembleia suprema, onde é suficiente que a lei proíba a que ninguém possa, nas eleições, designar um parente nem lhe dar seu voto se foi designado por um outro, e, além disso, que dois parentes não tirem os sufrágios da urna, pela nominação de um funcionário qualquer do Estado. Isso, digo, é suficiente na assembleia composta de um grande número de membros e à qual não se concedem subsídios particulares. E, por conseguinte, não há nenhum prejuízo para o Estado em que não se faça uma lei para excluir da Assembleia suprema os parentes dos patrícios (ver o § 14 do presente capítulo). Ora, que uma tal lei é desarrazoada parece coisa evidente. Com efeito, não poderia ser ela estabelecida pelos patrícios mesmos sem que por isso todos, também, cedessem algumas coisas do seu direito, e, desde então, a reivindicação desse direito não pertenceria mais aos patrícios, o que é diretamente contrário aos princípios lançados nos §§ 5 e 6 do presente capítulo. Também a lei do Estado que ordena que a mesma relação se conserve sempre entre o número dos patrícios e o do povo, essa lei é feita, antes de tudo, para manutenir o direito e o poder dos patrícios. Porque se eles se tornam pouco numerosos, cessam de poder governar a multidão.

§ 40 — Os juízes devem ser eleitos pela Assembleia suprema dentre os patrícios, isto é (pelo § 17 do capítulo precedente), dentre os que fazem as leis e as sentenças que ditarem, tanto no cível como no crime, serão ratificadas, verificado que foram observadas as formalidades legais e os juízes as ditaram de maneira regular e imparcial. É aos síndicos que pertence perquirir quanto a isso, julgar e decidir.

§ 41 — Os subsídios dos juízes serão os mesmos que fixamos no § 29 do capítulo VI, isto é, que para cada sentença ditada em matéria civil receberão, da parte condenada, uma soma em relação com a importância do processo. Em matéria criminal, haverá, aqui, uma diferença: é que os bens que foram atingidos de confisco e todas as multas pronunciadas, mesmo para os menores delitos, lhes serão, exclusivamente, atribuídos, sob condição, todavia, de jamais lhes ser permitido obter por tortura as confissões. E, desse modo, ficar-se-á suficientemente seguro de que não serão iníquos para com os plebeus e de que o temor não os tornará muito favoráveis aos patrícios. O temor, com efeito, será temperado pela avareza, tingida do nome especioso de justiça. E, além disso, precisará considerar que os juízes são em grande número e não votam abertamente, mas por meio de bolas, de modo que se um indivíduo se irrita por haver perdido sua pendência, não tem nenhuma razão de se voltar contra um juiz determinado. Acrescentai que o respeito que inspiram os síndicos conterá os juízes e os impedirá de pronunciar uma sentença iníqua ou, ao menos, uma sentença absurda. Além disso, entre um grande número de juízes encontrar-se-á um ou dois que temerão violar a equidade. Enfim, os plebeus terão uma garantia no recurso aos síndicos, estabelecida por lei como acabamos de recordar.

Porque é certo que os síndicos não poderão evitar os ódios de muitos patrícios e serão sempre muito agradáveis ao povo, do qual se esforçarão o mais possível de obter o favor. Eis por que, chegada a ocasião, não deixarão de cassar sentenças contrárias à lei, examinar um juiz qualquer que seja, e punir os juízes iníquos. Porque nada toca mais o coração da massa. E se tais exemplos só podem acontecer de raro em raro, não há mal nisso, mas, ao contrário, um grande bem. Porque, além de que é sinal de um Estado mal constituído que se deem todo dia exemplos contra magistrados culpáveis (como o mostramos no § 2 do capítulo V), é preciso principalmente evitar que ecoem escandalosamente na opinião.

§ 42 — Os procônsules que forem enviados às cidades e às províncias deverão ser escolhidos na ordem senatorial. Porque é ofício dos senadores tomar cuidado das fortificações das cidades, do tesouro, do exército etc. Mas como seria impossível para esses procônsules serem assíduos às sessões do Senado se fossem enviados a regiões um pouco distantes, precisar-se-á escolher entre os senadores procônsules destinados às cidades que se encontrem no território pátrio. Quanto aos que desempenharem sua missão nos países mais longínquos, eleger-se-ão entre os patrícios, cuja idade não esteja longe da dos senadores. A questão, agora, é de saber se essas medidas garantirão, suficientemente, a paz do império, no caso de que as cidades que cercam a capital estejam completamente privadas do direito de sufrágio. Por minha parte não o creio, a menos que essas cidades sejam de tal modo impotentes que seja permitido menosprezá-las, abertamente, coisa difícil de conceber. Penso, pois, que será necessário que as cidades circunvizinhas entrem na partilha do direito do Estado e que se tome de cada uma delas vinte, trinta ou quarenta cidadãos (segundo a extensão da cidade) para inscrevê-los no número dos patrícios. Entre eles, três, quatro ou cinco serão escolhidos, todos os anos, para fazer parte do Senado, e preferir-se-á um para ser síndico vitaliciamente. Os que fizerem parte do Senado serão enviados como procônsules, conjuntamente com um síndico, à cidade para que foram escolhidos.

§ 43 — Enfim, é sabido que os juízes constituídos do tribunal em cada cidade serão escolhidos entre os patrícios da mesma cidade. Mas não é necessário insistir mais longamente sobre esses detalhes, que não têm mais nenhuma relação com as condições fundamentais do governo que nos ocupa.

§ 44 — Os secretários de cada um dos conselhos e os outros funcionários desse gênero devem ser eleitos entre o povo, pois que não têm o direito de sufrágio. Mas eis o que acontece: esses empregados, tendo adquirido, por uma longa prática dos negócios, uma experiência consumada, fazem prevalecer suas ideias mais do que convém e acabam por se tornar os verdadeiros amos do Estado. Foi esse abuso que determinou a perda dos holandeses. Compreende-se muito bem, com efeito, que a preponderância dos funcionários seja feita para excitar o ciúme da maior parte dos grandes. No resto, não se pode duvidar que um Senado, cuja sabedoria inteira teria sua fonte nas luzes dos empregados, em lugar de tirá-las dos seus próprios membros, seria um corpo inerte, de tal sorte que a condição de um tal governo não seria muito melhor que a de um governo monárquico, dirigido por um pequeno número de conselheiros do rei. (Vede, sobre esse assunto, o capítulo VI, §§§ 5, 6 e 7.) Como seria possível remediar mais ou menos esse mal? Isso dependerá da boa ou da má instituição do governo. Com efeito, a liberdade do Estado, quando não tem fundamentos muito firmes, não pode jamais ser defendida sem grandes perigos e, para evitá-los, que fazem os patrícios? Escolhem entre o povo ministros ávidos de glória, e depois, na primeira reviravolta, entregam-nos como vítimas expiatórias para acalmar a cólera dos inimigos da liberdade. Ao contrário, lá onde os fundamentos da liberdade são suficientemente sólidos, os patrícios mesmos põem sua glória em protegê-la e fazê-la depender unicamente da conduta dos negócios, da sabedoria das assembleias estabelecidas pela constituição. Eis por que, lançando as bases do governo aristocrático, nos apegamos a esta dupla condição: que o povo fosse excluído das assembleias e que não tenha o direito de sufrágio (ver os §§ 3 e 4 do presente capítulo), de tal sorte que o soberano poder do Estado pertença a todos os patrícios, à autoridade, aos síndicos e ao Senado, e, enfim, o direito de convocar o Senado e de ocupar-se dos negócios que visam à salvação comum aos cônsules, eleitos no Senado. Estabelecei, além disso, que o secretário do Senado e o dos outros conselhos não serão eleitos se não por quatro ou cinco anos quando muito, e lhe adjudicarão um segundo secretário nomeado para o mesmo tempo e encarregado de dividir o trabalho com ele. Ou, ainda, dai ao Senado não um só secretário, porém muitos, dos quais um esteja ocupado de tal ou qual espécie de negócios, e outro de negócios diferentes, e chegareis, assim, a erguer uma barreira contra a influência dos funcionários.

§ 45 — Os Tribunos do Tesouro devem ser, também, eleitos entre o povo, e terão de dar conta dos dinheiros do Estado, não somente ao Senado, mas, também, aos síndicos.

§ 46 — No que diz respeito à religião nos explicamos com bastante extensão no *Tratado teológico-político*. Todavia, omitimos alguns pontos que não encontraram guarida nessa obra. Eis um, por exemplo: é que todos os patrícios devem pertencer à mesma religião, quero dizer, a essa religião eminentemente simples — católica —, de que no nosso *Tratado* lançamos os princípios. Com efeito, é preciso tomar tento sobremodo, que os patrícios não sejam divididos em seitas, que uns não favoreçam essa e outros aquelas, e que, subjugados pela superstição, se esforcem de arrebatar aos súditos o direito de dizer o que pensam.

Um outro ponto a considerar é que, deixando inteiramente a cada um o direito de dizer o que pensa, é preciso proibir as grandes reuniões religiosas. Que os dissidentes ergam tantos templos quantos lhes convenham, seja. Mas que esses templos sejam pequenos, que não ultrapassem medida determinada e estejam construídos distantes uns dos outros. Ao contrário, que os templos consagrados à religião da pátria sejam grandes e suntuosos. E só os patrícios e os senadores tomem parte nas cerimônias essenciais do culto. Que só a eles, por consequência, pertença consagrar os casamentos e erguer as mãos. Que, em uma palavra, sejam os únicos sacerdotes do templo, os intérpretes e os defensores da religião da pátria. Quanto ao que toca à predicação, ao tesouro do Estado e à administração dos seus negócios quotidianos, o Senado escolherá no povo um certo número de vigários que deverão, nessa qualidade, prestar-lhe contas de todas as coisas.

§ 47 — Tais são as condições fundamentais do governo aristocrático. Acrescentarei algumas outras, e pequeno número que, sem ter tão grande importância, merecem, todavia, séria consideração. Assim, os patrícios usarão umas vestes particulares que os distingam. Dever-se-á saudá-los com um título particular e todo homem do povo lhes cederá o passo. Se um patrício vem a perder os seus bens, receberá dinheiro do tesouro público, dado que exiba a prova que a sua ruína é efeito de um acidente que não pôde evitar. Se, ao contrário, constata-se que viveu nas prodigalidades, no fausto, no jogo e nos lupanares, e que suas dívidas ultrapassam os seus recursos, será degradado da sua dignidade e declarado indigno de toda honra e de toda função. Porque aquele que não pode governar a si próprio e dirigir os seus negócios privados é incapaz, com mais forte razão, de dirigir os negócios públicos.

§ 48 — Os que são obrigados, por lei, a prestar compromisso temerão mais bem o perjúrio se se lhes prescreve jurar pela salvação da pátria, da liberdade e o conselho supremo, do que se jurassem por Deus. Com efeito, jurar por Deus é comprometer a sua salvação, isto é, um bem particular de que cada um pode dispor livremente. Mas jurar pela liberdade e pela salvação da pátria é comprometer o bem de todos, de que nenhum particular é dono. Por conseguinte, perjurar é declarar-se inimigo da pátria.

§ 49 — As academias, fundadas a expensas do Estado, têm, geralmente, por fim, menos cultivar as inteligências do que comprimi-las. Ao contrário, num Estado livre, as ciências e as artes serão perfeitamente cultivadas, porque permitir-se-á a qualquer cidadão ensinar em público, por sua conta e risco. Mas reservo esse ponto e outros semelhantes para outro lugar, pois que não quero tratar, neste capítulo, a não ser das questões que se ligam ao governo aristocrático.

Capítulo IX — Da aristocracia (*continuação*)

§ 1 — Até aqui só tivemos em vista o governo aristocrático que tira o nome de uma só cidade, capital do império inteiro. Eis chegado o momento de cogitar de uma aristocracia dividida entre muitas cidades, e que acho, por minha parte, preferível à precedente. Mas, para mostrar a diferença dessas duas formas e a superioridade de uma sobre outra, tomaremos uma a uma as condições fundamentais da primeira, de modo a rejeitar as que não são compatíveis com a segunda e substituí-la por outras.

§ 2 — Assim, as cidades que participam do direito do Estado deverão ser constituídas e fortificadas de tal modo que, não somente cada uma delas seja incapaz de se sustentar sem as outras, como, ainda, delas não se possa separar sem um grande prejuízo para o Estado todo inteiro: é o meio de ficarem unidas. Quanto às cidades que não estão em estado de subsistir por si mesmas nem de inspirar temor às outras, não se pertencem verdadeiramente. Estão sob a lei das outras.

§ 3 — As prescrições dos §§ 9 e 10 do capítulo precedente, como as que visam à relação do número dos patrícios com o dos cidadãos, idade, condição, escolha dos patrícios, sendo tiradas da natureza do governo aristocrático em geral, não há nenhuma diferença a fazer que se aplique a uma só cidade ou a muitas. Mas é diferente quanto ao conselho supremo. Porque, se qualquer das cidades do império ficou sempre o local das reuniões desse conselho, seria verdadeiramente a capital do império. Precisará, pois, que cada cidade tenha seu turno ou bem tome por lugar de reunião uma cidade que não tenha parte no direito do Estado e que seja propriedade de todas as outras. Mas cada um desses meios, fáceis de prescrever, é difícil de pôr em prática, pois milhares de cidadãos não podem ser obrigados a se transportar com frequência fora de sua cidade, de se reunir, ora aqui, ora ali.

§ 4 — Para resolver essa dificuldade e fundar as organizações das assembleias em um tal governo sobre a sua natureza mesma e a sua condição, é preciso notar que cada cidade deve ter um direito superior ao direito do simples particular, tanto quanto seja mais poderosa que o simples particular (pelo § 4 do capítulo II). Por conseguinte, cada cidade (ver o § 2 do presente capítulo) tem no interior de suas muralhas e nos limites de sua jurisdição tanto direito quanto possa exercer. Em segundo lugar, todas as cidades em conjunto não devem formar somente uma confederação, mas uma associação e uma união recíproca, que façam delas um só governo, de tal modo, todavia, que cada cidade tenha tanto mais direito no Estado quanto seja mais poderosa que as outras. Isso porque procurar a igualdade, entre elementos desiguais, é procurar o absurdo. Os cidadãos podem, em boa justiça, ser julgados iguais, porque o poder de cada um deles, comparado ao poder do Estado, cessa de ser considerável. Mas não acontece o mesmo com as cidades. O poder de cada uma delas constitui uma parte notável do poder do Estado mesmo, parte tanto maior quanto a cidade mesma tenha mais importância. As cidades não podem ser consideradas iguais. O direito de cada uma, como o seu poder, deve ser medido pela sua grandeza. Quanto aos meios de uni-las e de fazer delas um só Estado, assinalarei dois principais: um Senado e uma Magistratura. Ora, como tais laços unirão cidades entre si sem privar a cada uma dos poderes de exercer seus direitos tanto quanto possível? É o que vou mostrar em poucas palavras.

§ 5 — Concebo que em cada cidade os patrícios, cujo número deve ser aumentado ou diminuído, segundo a grandeza da cidade (§ 3 do capítulo precedente), tenham a soberana autoridade e que, reunidos em um conselho que será o conselho supremo da cidade, tenham o inteiro poder de fortificá-la, de lhe estender os muros, de estabelecer impostos, de fazer e de ab-rogar as leis, de executar, em uma palavra, todas as medidas que julgarem necessárias à conservação e ao aumento da cidade.

Agora, para tratar dos negócios comuns do império, é preciso criar um Senado, segundo o modo explicado no capítulo precedente.

De maneira que não existe entre esses dois Senados outra diferença que o direito que terá esse de resolver as disputas surgidas entre as cidades. Porque nesse império, onde nenhuma cidade é capital, esse direito não pode ser exercido, como no precedente estado, pelo conselho supremo (ver o § 38 do capítulo precedente).

§ 6 — Quanto ao resto, em um tal estado, não se deverá convocar o grande conselho a menos que se trate de reformar o próprio império ou de qualquer negócio difícil que os senadores não se acreditem capazes de conduzir a bom termo. E, desse modo, os patrícios de todas as cidades estarão muito raramente reunidos em conselho. O principal dever do conselho supremo, como já o dissemos (§ 17 do capítulo precedente), é estabelecer e ab-rogar as leis e, depois, eleger os funcionários públicos. Mas as leis e os direitos comuns do império não devem ser mudados quando há pouco tempo foram estabelecidos. Todavia, se o tempo e as circunstâncias exigem o estabelecimento de algum direito novo ou a reforma de um direito estabelecido, o Senado pode tomar a iniciativa dessa mudança e, quando o acordo se estabelecer entre seus membros, delegar, nas cidades, enviados encarregados de fazer conhecer sua decisão aos patrícios de cada cidade. Se o maior número das cidades se coloca ao lado do parecer do Senado, ele é ratificado. Em caso contrário, anulado. Pode-se seguir a mesma ordem na escolha dos generais do exército e dos embaixadores. Como nos decretos a tomar para declarar guerra ou aceitar condições de paz. Quanto à eleição dos outros funcionários do império, como cada cidade deve usar do seu direito tanto quanto for possível (já vimos no § 4 deste capítulo) e de ter no império um direito tanto mais extenso quanto seja mais poderoso, eis a ordem que é preciso seguir necessariamente. Os senadores serão eleitos pelos patrícios de cada cidade, isto é, os patrícios de cada cidade elegerão entre seus colegas um número de senadores que será no número total dos patrícios como de um (1) para doze (12) (ver § 30 do capítulo precedente) e designarão os que devem fazer parte da primeira ordem, os da segunda e os da terceira. Os patrícios das outras cidades elegerão do mesmo modo, segundo o seu número, mais ou menos senadores, que se dividirão em tantas ordens quantas deva haver no senado (ver § 34 do capítulo precedente). Assim, em cada ordem de senadores, cada cidade terá maior ou menor número em relação com a sua importância. Quanto aos presidentes das ordens e seus vice-presidentes, cujo número é menor que o das cidades, serão tirados à sorte pelo Senado entre os cônsules eleitos. Seguir-se-á ainda a mesma ordem para a eleição dos juízes supremos do império: os patrícios de cada cidade elegerão entre seus colegas mais ou menos juízes, segundo o seu número. Cada cidade usará, assim, do seu direito tanto quanto lhe for possível na eleição dos funcionários e terá, seja no senado, seja na magistratura, um direito tanto mais extenso quanto mais poderosa seja. Dado, todavia, que o papel do Senado e da Magistratura na decisão dos negócios do império e no julgamento das divergências fique tal como apresentamos nos §§ 33 e 34 do capítulo precedente.

§ 7 — Os chefes das coortes e os tribunos do exército devem ser eleitos entre os patrícios. Porque, se é justo que cada cidade seja obrigada a recrutar, para a segurança comum do império, um número determinado de soldados em relação com a sua grandeza, é justo, também, que possa eleger entre os seus patrícios, em razão do número de legiões que deve manter, tantos tribunos, oficiais e cadetes quantos sejam precisos para comandar o contingente que forneça ao império.

§ 8 — Nenhuma contribuição deve ser imposta aos súditos pelo Senado. Quanto às despesas votadas por um decreto do Senado para a plena execução dos negócios públicos, não serão os súditos, mas as cidades mesmas que são chamadas pelo Senado para cumprir, segundo o senso, de modo que cada cidade contribua para uma parte mais ou menos forte, conforme a sua grandeza. Essa porção dos impostos, os patrícios a tiram dos seus concidadãos pelos meios que julgarem mais a propósito, seja pelo senso, seja, o que é mais simples, pela imposição de uma contribuição.

§ 9 — Em seguida, embora todas as cidades desse império não sejam marítimas, e os senadores não sejam escolhidos, apenas, nas cidades marítimas, pode-se, todavia, dar a cada espécie de senadores os mesmos subsídios que indicamos no § 1 do capítulo precedente. E, aqui, deve-se refletir nos meios de unir entre si as cidades do império segundo o espírito da constituição. Quanto às outras prescrições que indiquei no capítulo precedente, no tocante ao Senado, à Magistratura e ao império todo inteiro, aplicam-se igualmente a essa espécie particular de governo. Vê-se, pois, que num Estado composto de muitas cidades não é necessário designar nem o lugar, nem a época das reuniões do conselho supremo, sendo suficiente estabelecer um lugar de reunião para o Senado e a Magistratura num BURGO ou numa cidade que não tenha o direito de sufrágio. Voltemos, agora, a respeito do que diz às cidades, em particular.

§ 10 — A ordem a seguir para o conselho supremo de uma cidade, na eleição dos funcionários de uma cidade e do império, e na decisão dos negócios deve ser semelhante à que foi prescrita nos §§ 27 e 36 do capítulo precedente. Nos dois casos, com efeito, encontram-se as mesmas razões determinantes. Assim, pois, o conselho dos síndicos deve ser subordinado ao grande conselho, como no capítulo precedente. Suas funções também são as mesmas nos limites da jurisdição da cidade e gozam dos mesmos subsídios. Se a cidade, e, por conseguinte, o número dos patrícios são tão exíguos que não possam ser criados mais de um ou de dois síndicos, que, entre si, não poderiam constituir um conselho, deverão ser designados juízes para o conselho supremo da cidade e adjuntos aos síndicos, oportunamente, para o conhecimento dos processos, ou, então, a questão será levada ao conselho supremo dos síndicos. Porque, cada cidade enviará ao lugar das reuniões do Senado alguns dos seus síndicos, encarregados de velar para que os direitos do império todo inteiro sejam respeitados e que terão assento para isso no Senado sem ter o direito de sufrágio.

§ 11 — Os cônsules das cidades devem ser eleitos, também, pelos patrícios da mesma cidade da qual eles compõem uma espécie de senado. Não posso determinar o número e não vejo, além disso, necessidade, do momento em que os negócios de grande importância para a cidade são tratados por seu conselho supremo e os que interessam ao império todo inteiro, pelo grande Senado. Mas se os cônsules são poucos numerosos, é preciso que os sufrágios sejam abertamente recolhidos ao conselho, e não com a ajuda de bolas como nas grandes assembleias. Porque num conselho pouco numeroso, se os sufrágios são secretos, os mais argutos adivinham facilmente o autor de cada voto e abusam de mil modos dos que não estão atentos.

§ 12 — Além disso, em cada cidade, os juízes serão estabelecidos pelo seu conselho supremo. Mas será permitido apelar da sentença para o tribunal supremo do império, e, excetuando, todavia, os acusados abertamente convictos e os devedores confessos. Mas não tenho que me deter mais longo tempo nessa matéria.

§ 13 — Resta, pois, falar das cidades que não têm independência. Se estão situadas numa província ou numa parte qualquer do império e seus habitantes são da mesma nação e falam a mesma língua, devem, necessariamente, como os burgos, ser consideradas partes de cidades vizinhas, e, desse modo, cada uma delas deve encontrar-se sob a administração de tal ou qual cidade que se governa a si mesma. A razão é que os patrícios não são eleitos pelo conselho supremo do império, mas pelo conselho supremo de cada cidade, e que são, em cada cidade, mais ou menos numerosos, segundo o número dos seus habitantes e nos limites da sua jurisdição (§ 5 deste capítulo). É o que explica a necessidade de fazer entrar, no recenseamento de uma população que se governa, a que não se governa, e de colocá-la sob sua direção. As cidades tomadas por direito de conquista e anexadas ao império devem ser tratadas como irmãs do império e ligadas a ele por esse benefício. Ou bem, será preciso lá enviar colonos gozando do direito de cidadãos e transportar a outra parte sua população ou destruí-la inteiramente.

§ 14 — Eis o que respeito diz aos fundamentos desse governo. Eis, agora, donde concluo que sua condição é melhor que a do governo que tira seu nome de uma só cidade: é que os patrícios de cada cidade, cedendo aos pendores naturais do homem, esforçar-se-ão de conservar e aumentar, se for possível, seu direito, tanto no Senado como na cidade. E, por conseguinte, levarão a capricho aproximar-se da multidão, e, consequentemente, de fazer sentir sua ação no império pelos benefícios mais do que pelo temor e aumentar seu número. Mais sejam numerosos, com efeito, mais elegerão senadores entre si (§ 6 deste capítulo) e mais terão direito no império (mesmo parágrafo). E não há mal em que essas cidades tenham entre si frequentes dissensões e passem o tempo a disputar, porque cada uma delas não pensa senão em seus interesses e tem inveja das outras. Se Sagunto sucumbe enquanto os romanos deliberam (ver Tito Lívio, *Hist.*, XXI, 6), é verdade, também, que a liberdade e o bem público perecem quando um pequeno número de homens decide de tudo só por sua paixão. O espírito do homem é, em geral, muito obtuso para penetrar no fundo das coisas ao primeiro lance de vista, mas se sutiliza deliberando, ouvindo e discutindo. E, enquanto procuram todos os meios de agir a seu grado, encontram uma solução que tem por si a aprovação geral e na qual ninguém teria pensado outrora. Se se me objetar que o governo dos holandeses não se sustentou durante muito tempo sem conde ou sem vigário que substituísse o conde, responderei que os holandeses acreditaram que lhes era suficiente, para obter a liberdade, abandonar seu conde e privar o Estado da sua cabeça, sem pensar em reformar, por isso, o império. Deixaram os membros do império tais quais tinham sido outrora organizados, de modo que o condado de Holanda, como um corpo sem cabeça, subsistiu sem conde, e o próprio império, sem nome. Nada há, pois, de surpreendente que a maior parte dos súditos tenha ignorado entre que mãos ficara a soberana autoridade do império. E, quando mesmo assim não fosse, os que de fato governavam o império eram muito pouco numerosos para ser os guias da multidão e para esmagar os seus potentes adversários. Assim, chegou-se que esses puderam, frequentemente, armar-lhes ardis e por fim derrubá-los. Pois o ruir instantâneo da república holandesa não provém de ter ela passado inutilmente a deliberar, mas da má organização do governo e do pequeno número dos governantes.

§ 15 — Essa aristocracia repartida entre muitas cidades é ainda preferível à primeira, porque não é preciso precaver-se, como na primeira, de uma agressão súbita contra o conselho supremo, pois que nem a época nem o lugar de sua reunião são designados. Além disso, os cidadãos poderosos são menos a temer nesse governo, pois que, aí, onde muitas cidades gozam da liberdade, não é bastante àquele que quer abrir-se um caminho ao império apoderar-se de uma só cidade para ser o amo das outras. Enfim, a liberdade, nesse governo, é comum ao maior número de homens. Porque, por toda parte onde uma só cidade tem o poder, ninguém se inquieta ou preocupa do bem das outras cidades, na medida em que esse bem possa ser útil àquela que é a capital.

Capítulo X — Da aristocracia (*fim*)

§ 1 — Após ter exposto e demonstrado as condições fundamentais das duas espécies de governos aristocráticos, resta-nos pesquisar a fim de saber se esses governos podem ser dissolvidos ou transformados por qualquer causa de que sejam responsáveis. A primeira de todas essas causas de dissolução, para um tal governo, é a indicada, nesses termos, pelo penetrantíssimo Florentino... *"num Estado, todos os dias, como num corpo humano, há certos elementos que se agregam aos outros e cuja presença requer de tempos a tempos um tratamento médico".* É, pois, necessário, diz, que, às vezes, se faça uma intervenção que ligue o Estado aos princípios sobre os quais é fundado. Se essa intervenção falhar, o mal irá crescendo a tal ponto que não poderá mais ser suprimido senão pela supressão do Estado mesmo. Essa intervenção, acrescenta, pode-se, ou bem produzir-se por acaso, ou, graças a uma legislação prudente, ou, enfim, graças à sabedoria de um homem de excepcional virtude". E não podemos pensar que não esteja aí uma circunstância do maior peso que, se não trouxer remédio ao mal, o Estado não poderá mais se manter pela sua virtude própria, mas, somente, por uma fortuna feliz. Ao contrário, se o remédio conveniente é aplicado, a queda do Estado não poderá ser efeito de um vício intrínseco, mas de um destino inelutável, como mostraremos logo. O primeiro remédio que se apresentou ao espírito foi que, de cinco em cinco anos, um ditador supremo fosse criado por um ou dois meses, o qual tivesse o direito de abrir um inquérito sobre os atos dos senadores, e de todos os funcionários, de julgá-los, de decidir e, por conseguinte, de religar o Estado a seu princípio. Mas, para aparar os males que ameaçam um Estado, é preciso aplicar remédios que se adaptem à sua natureza e se possam tirar dos seus próprios princípios. De outra maneira se andará de Cila à Caribdes. É verdade que todos, tanto os governantes como os governados, devem ser controlados pelo temor do suplício e do mal que poderão sofrer, a fim de que não possam cometer crimes impunemente ou em seu proveito. E de outra parte, se esse temor afeta os bons cidadãos e os maus, o Estado se encontra no maior perigo. Sendo absoluto o poder do ditador, não pode inspirar igual temor a todos, sobretudo se, como se exige, um ditador é nomeado temporariamente, porque, então, cada um, por amor da glória, procurará obter essa honra com extremo interesse. E é certo, também, que, em tempos de paz, visa-se menos à virtude que à opulência, de modo que mais um homem se ensoberbeça, mais se elevará nas honras. Talvez esteja aí a razão pela qual os romanos não nomeavam ditadores a tempo fixo, mas somente quando uma necessidade fortuita os constrangia. E, todavia, *os rumores de uma ditadura*, para citar a frase de Cícero, *eram desagradáveis aos bons cidadãos*. E, certamente, dado que o poder de um ditador, *como* o de um rei, é absoluto, pode, não sem grande perigo para a república, mudar num poder monárquico, um poder temporário. Acrescentai que, se não houver data fixa e determinada para a nomeação dum ditador e não houver entre dois ditadores sucessivos esse intervalo de tempo que dissemos, a própria instituição seria tão extremamente vaga que cairia logo no esquecimento. Se essa ditadura não é perpétua e estável, se ela não pode ser concedida a um só homem, é que não pode conciliar-se com a manutenção do regime aristocrático e será incerta, e, com ela, a salvação da república mal assegurada.

§ 2 — Não há dúvida, ao contrário, pelo gáudio do ditador pode-se permanecer erguido perpetuamente e ser temível somente aos maus, jamais o mal se agravaria ao ponto de não poder ser suprimido ou atenuado. É para satisfazer essas condições que subordinamos à assembleia geral o conselho dos síndicos, de modo que o gáudio perpétuo não esteja em poder de uma pessoa natural, mas de uma pessoa civil, cujos membros sejam demais numerosos para que se possam partilhar o Estado (pelos §§ 1 e 2 do capítulo VIII) ou se combinar para um crime. A isto se ajunta que lhes é interdito ocupar os outros cargos do Estado, que não paguem soldo à força armada e, enfim, sejam de idade e que se prefira um estado de coisas existente e seguro ao de novidade perigosa. Não ameaçam o Estado de perigo, não podem ser e não serão efetivamente aplicados senão aos maus, e, jamais, aos bons cidadãos. Sem força para cometer crimes, terão muito poder para refrear as tentativas criminosas. Além de que, com efeito, podem opor-se ao mal em seu germe (porque seu conselho é perpétuo) e são muito numerosos para não temer inspirar ódio a um ou dois poderosos, acusando-os e condenando-os. Aceito, sobretudo, que eles exprimam o seu parecer por bolas e que a sentença seja pronunciada em nome de todo o conselho.

§ 3 — Os tribunos do povo, também, eram perpétuos em Roma, mas incapazes de triunfar do poder de um Cipião. Deviam, além disso, submeter ao Senado mesmo as medidas que julgavam salutares, e, frequentemente, eram ludibriados por ele, e conseguindo, o Senado, aqui, que o favor da plebe recaísse sobre aquele que os senadores mesmos temessem. Ajuntai a isto que o poder dos tribunos era protegido dos patrícios pelo favor do povo e que os tribunos tinham mais o aspecto de excitadores de sedições que de convocadores de assembleia, todas as vezes que conclamavam o povo ao fórum. Eis inconvenientes que não existem no Estado que descrevemos nos capítulos precedentes.

§ 4 — De resto, esse poder dos síndicos se limitará simplesmente a conservar a forma do governo, isto é, a reprimir toda a infração às leis e a impedir que alguém possa cometer qualquer falta em seu proveito. Mas não poderá jamais reprimir o progresso dos vícios sobre os quais as leis não tenham nenhuma ação, que esses vícios, por exemplo, nos quais os homens caem devido ao seu muito ócio e que conduzem frequentemente um Estado à ruína. Com efeito, quando domina a paz, os homens se despojam de todo temor. Tornam-se, insensivelmente, de ferozes e de bárbaros que eram, em humanos e civis. De humanos, tornam-se moles e preguiçosos, e cada qual ambiciona ultrapassar os outros, não em virtude mas em fausto e moleza. Vêm, assim, a desdenhar os costumes do seu país, a imitar os costumes das nações estrangeiras, e, por assim dizer, preparam-se para escravos.

§ 5 — Para evitar esses males, muitos legisladores se esforçaram por estabelecer leis suntuárias. Mas, em vão, porque todas as leis que podem ser violadas, sem que outros sejam lesados, são objeto de irrisão. Tanto é preciso que essas regras moderem os desejos e os apetites, ao contrário, elas lhes dão mais intensidade, porque temos uma inclinação para o que é proibido e desejamos o que se nos recusa. Homens ociosos têm sempre muitos recursos no espírito para fugir às regras estabelecidas sobre objetos cuja interdição absoluta não é possível, tais como festas, jogos, exibições e outras coisas do mesmo gênero, cujo mal está no abuso e não se pode avaliar senão segundo a fortuna, de modo que não se pode estabelecer lei geral em semelhante matéria.

§ 6 — Minha conclusão é, pois, que esses vícios inerentes ao estado de paz de que aqui falo não devem ser combatidos diretamente, mas indiretamente, colocando princípios fundamentais tais que o maior número se esforce, não de viver sabiamente (pois isso é impossível), mas se deixe dirigir por afeições das quais o Estado tire o maior benefício. É preciso tender, sobretudo, a que os ricos sejam, se não econômicos, ao menos desejosos de aumentar sua riqueza. Porque não há dúvida que se essa avidez, que é uma paixão universal e constante, é alimentada pelo desejo da glória, a maior parte se aplicará, com mais e maior zelo a aumentar, sem usar meios desonestos, os seus haveres por onde possa pretender a consideração e evitar o opróbrio.

§ 7 — Se considerarmos os princípios fundamentais dos dois Estados aristocráticos, descritos nos dois capítulos precedentes, veremos que isso mesmo é uma consequência. O número dos governantes num e noutro é bastante grande, para que a maioria dos ricos tenha acesso ao governo e aos altos cargos do Estado. E se for decidido, além disso (como já o dissemos no § 47 do capítulo VIII), que os patrícios insolváveis sejam considerados decaídos e os que, tendo perdido seu haver, em consequência de uma desgraça, sejam restabelecidos em sua situação, não há dúvida que todos tanto quanto puderem, tratarão de conservar os seus haveres, não quererão viver à maneira de estrangeiros e não adquirirão o desprezo pelos costumes da Pátria, se for estabelecido que os patrícios e os candidatos aos cargos públicos se distingam por vestes particulares (ver sobre esse ponto os §§ 25 e 40 do capítulo VIII). Pode-se, em todo Estado, encontrar outras disposições de acordo com a natureza dos lugares e o caráter da nação, e, em semelhante matéria, é preciso cuidar, antes de tudo, por que os súditos se conformem mais por sua própria vontade que por efeito de um constrangimento legal.

§ 8 — Em um Estado que visa unicamente conduzir os homens pelo temor, é mais a ausência do vício que a virtude que reina. Mas, é preciso levar os homens de tal modo que não sintam que são governados, mas que vivem segundo seu livre grado e conformemente a sua complexão própria. É preciso, pois, contê-los pelo só amor da liberdade, pelo desejo de aumentar sua fortuna e pela esperança de se elevarem nas honras. Além disso, as estátuas, os cortejos triunfais e outros excitantes da virtude são sinais de servidão, mais do que sinais de liberdade. É aos escravos, e não aos homens livres, que se dão recompensas pela sua boa conduta. Reconheço que os homens são muito sensíveis a esses estimulantes, mas se, na origem, se decretam as recompensas honoríficas aos grandes homens, mais tarde, crescendo a inveja, serão, também, concedidas aos preguiçosos e aos que mergulham no orgulho das suas riquezas, os quais despertarão indignação de todos os bons cidadãos. Além disso, os que erguem estátuas e conclamam os triunfos de seus parentes acreditam que lhes fazem injúria se os colocam abaixo dos outros. Enfim, para não falar do resto, é evidente que a igualdade, cuja perda arrasta, necessária mantida, logo que as honras extraordinárias sejam decretadas por uma lei do Estado, a um homem que se distingue por seu mérito.

§ 9 — Isto posto, vejamos, agora, se Estados desse modo descritos podem, por qualquer causa intrínseca, por si próprios, se destruírem. Se um Estado se pode perpetuar, será, necessariamente, aquele cujas leis, uma vez estabelecidas, se tornem invioláveis. Porque as leis são a alma do Estado. Por mais tempo persistam, por mais tempo subsistirá o Estado, necessariamente. Mas as leis não podem tornar-se invioláveis, senão estão sob a proteção e a razão e afeições comuns aos homens. De outro modo, quero dizer, se elas não têm senão o apoio da razão, são pouco válidas, e, facilmente, se lhes vê o fim. Depois que mostramos que as leis fundamentais das duas espécies de Estado aristocrático se harmonizam com as afeições dos homens, podemos afirmar que, se há Estados capazes de subsistir sempre, são esses, e que, se podem ser destruídos, não é por uma causa intrínseca a qualquer defeito próprio, mas por um destino inelutável.

§ 10 — Pode-se nos objetar que, embora elas estejam sob a proteção da razão e das afeições comuns, essas leis do Estado, precedentemente expostas, são, todavia, pouco sólidas, para que não se lhes veja fim. Porque não há afeição que não possa ser vencida por outra afeição contrária: o temor da morte é visivelmente vencido, frequentemente, pela cobiça dos haveres de outrem. Os que estão assombrados pelo inimigo, nenhuma outra atemorização os pode deter: jogam-se à água, precipitam-se ao fogo para escapar ao ferro do inimigo. Por mais bem regulada que seja a Cidade, por mais excelentes que sejam as suas instituições, nos momentos de terror, quando todos, como acontece, são tomados de medo, pânico, todos, então, se afiliam a um único partido que se acomoda ao medo, sem se preocupar nem do futuro nem das leis, e todas as faces se viram para o homem cujas vitórias o puseram em foco. Coloca-se acima das leis, prolonga-se o seu poder (o pior dos exemplos), confia-se-lhe toda coisa pública. Foi isso que causou a perda do Estado romano. Para responder a essa objeção, digo, em primeiro lugar, que, numa república bem constituída, semelhante terror jamais aparece senão por uma justa causa; semelhante terror, semelhante abalo não pode ser devido que a uma causa contra a qual toda prudência humana é impotente. Em segundo lugar, é preciso observar que, numa república tal qual a que havemos descrito, não se pode compreender (pelos §§ 9 e 23 do capítulo VIII) que só um ou dois homens tenham renomes tão famosos que todos estejam na obrigação de voltar para eles. Terão, necessariamente, muitos êmulos, que, por sua vez, tenham um certo número de partidários. Ainda quando, pois, o terror engendrasse algum abalo na república, ninguém se poria a desprezar leis contrárias ao direito, convocar um salvador ao comando das tropas, sem que, imediatamente, surgisse competição entre aquele que fosse proposto e os outros reclamados por seus partidários. Para resolver o caso precisaria, necessariamente, voltar às leis estabelecidas, aceitas por todos, e ordenar os negócios do Estado como elas o prescrevem. Posso, pois, afirmar, sem reservas, que um Estado, onde uma única cidade tem o poder e, ainda mais, um Estado onde muitas cidades dele partilham, durará sempre, isto é, não se dissolverá nem se transformará por nenhuma causa que lhe seja intrínseca.

Capítulo XI — Da democracia (*inacabado*)

§ 1 — Passo, enfim, ao Terceiro Estado, àquele que é, inteiramente, absoluto e a que chamamos Democracia. A diferença desse Estado do aristocrático consiste, principalmente, já o dissemos, em que, nesse último, depende da só vontade e da livre escolha da assembleia suprema que tal ou qual indivíduo se torne patrício. Não há, pois, hereditariamente, o direito de sufrágio e o de ocupar as funções públicas. Ninguém pode reivindicar seus direitos como é o caso na democracia. Todos aqueles, com efeito, que nasceram de pais que usufruem direitos cívicos ou no território nacional ou muito mereceram da república, ou, ainda, por outras causas, possuem, legalmente, os direitos de cidade, todos, repito, têm o direito de sufrágio e acesso às funções públicas. Têm direito de reclamá-las e não se lhes pode negar, a não ser baseado em crimes cometidos ou em notas infamantes.

§ 2 — Se, pois, é regulado por uma lei, que somente os anciões que tenham atingido determinada idade — ou somente os jovens, desde que a idade o permita — ou os que pagam à República uma determinada soma em dinheiro, possuam o direito de sufrágio no conselho supremo, e o direito de participar dos negócios públicos, embora possa suceder, por essa razão, que o conselho supremo seja composto de um pequeníssimo número de cidadãos, menor ainda do que no governo aristocrático, é preciso, todavia, chamar democráticos os governos dessa espécie, porque os cidadãos que devem governar a república não são escolhidos como os mais dignos pelo conselho supremo, mas designados pela lei. E, embora, por essa razão, governos dessa espécie — isto é, aqueles em que não se vêm os melhores cidadãos governar, mas indivíduos que o acaso fez ricos ou os primogênitos — pareçam inferiores ao governo aristocrático, todavia, se considerarmos a prática ou a natureza comum dos homens, é a mesma coisa. Porque os patrícios julgarão, sempre, como as melhores, as pessoas ricas ou bem aquelas que lhes são unidas por laços de sangue ou de amizade. E, certamente, se os patrícios devessem eleger seus colegas patrícios, sem paixão, tendo em vista o interesse público, não haveria governo a opor ao governo aristocrático. Mas a prática demonstrou, superabundantemente, que as coisas passam de um modo muito diverso, principalmente nas oligarquias, onde a vontade dos patrícios, por falta de rivais, é, mais do que qualquer outra, afastada de toda lei. Aí, com efeito, o que os patrícios levam mais em conta é repelir do conselho os mais dignos cidadãos e escolher por colegas pessoas que têm vontade a sua própria vontade. De tal modo que, num semelhante governo, os negócios se fazem bem mais mal, porque a eleição dos patrícios depende da vontade de alguns indivíduos absolutamente livres, isto é, de uma vontade isenta de qualquer lei. Mas volto ao meu tema.

§ 3 — Segundo o que disse no parágrafo precedente, é evidente que podemos conceber muitos gêneros de governo democrático, mas minha finalidade não é ocupar-me deles, um por um, mas, somente, daquele em que, sem exceção, *todos os que não obedeçam senão às leis da Pátria*, que demais são seus senhores e vivam honestamente, tenham o direito de sufrágio no conselho soberano e o direito de ocupar funções no governo. Digo, expressamente: *os que não obedeçam senão às leis da Pátria*, para excluir os estrangeiros que são súditos de um outro governo. Acrescentei: *que são senhores para o resto*, querendo excluir, por essa cláusula, as mulheres e os escravos, que vivem sob a dependência de maridos e de amos, assim como as crianças e os pupilos durante o tempo que estiverem sob o domínio de seus pais e de seus tutores. Digo, afinal: *e que vivam honestamente*, para afastar, com especialidade, todos aqueles que, por qualquer crime ou por uma vida oprobriosa, caíram na infâmia.

§ 4 — Mas, alguém, porventura, perguntar-me-á: é por uma lei natural, por uma instituição que as mulheres estão sob a dependência dos homens? Porque se não é por uma instituição humana, seguramente, nenhuma razão nos obriga a excluir as mulheres do governo. Porque se consultarmos a experiência, veremos que a exclusão das mulheres é uma consequência da sua fraqueza. Com efeito, não se viu, em parte nenhuma, dominar, conjuntamente, os homens e as mulheres. Ao contrário, por toda parte em que se encontram homens e mulheres, as mulheres são governadas e os homens governam, e, desse modo, a concórdia existe entre os dois sexos. Inteiramente ao contrário disto, as amazonas, que outrora reinaram, segundo a tradição, não permitiram aos homens habitar no país e apenas cuidavam das suas filhas, eliminando seus filhos machos. Ora, se fosse natural que as mulheres se igualassem aos homens e com eles pudessem rivalizar tanto pela grandeza da alma como pela inteligência, e é o que constitui, principalmente, o poder do homem e, de conseguinte, o seu direito, certo, entre tantas noções diferentes, ver-se-iam algumas onde os dois sexos governassem do mesmo modo, e outros em que os homens seriam governados por mulheres e educados de maneira a ser menos fortes pela inteligência. Como tal coisa não acontece em nenhuma parte, pode-se afirmar, sem restrição, que a natureza não deu às mulheres um direito igual ao dos homens, e que são obrigadas a reconhecer-lhes a superioridade. Logo, não se pode concluir que os dois sexos governem igualmente, e, ainda menos, que os homens sejam governados pelas mulheres. Consideremos, além disso, as paixões humanas: não é verdade que mais frequentemente os homens amem as mulheres por efeito de um desejo sensual e consideram sua inteligência e sua sabedoria quanto mais tenham elas beleza? Acrescentai que os homens não podem suportar que a mulher que amam conceda aos outros o menor favor, sem falar de outras considerações semelhantes, que demonstram, facilmente, que não se pode fazer, sem grande prejuízo para a concórdia, que os homens e as mulheres governem igualmente. Mas eis já muita coisa sobre esse assunto...

Falta o resto.

Notas do prefácio

[I] *Beatitudo non est virtutis praemium, sed ipsa virtus...* (ÉTICA, P.V. — Prop. 42).

[II] Adolphe Leblais — *Materialisme et Spiritualisme*, Paris, 1865, p. 110.

[III] *Christus of Spinoza? Godsdienst of geen Godsdienst.* 1865, p. 110.

[IV] Relav (P.) — *Jesus-Christus und B. Spinoza im Zwiegesprach.* Berlim, 1893.

[V] Hofstede de Groot-Spinoza over Jesus Christus en zijne Opstanting. Gronigue, 1863.

[VI] Berlin (H. J.) — *Het Pantehismus wijsgeerigstelsel ouzer maar degrate wijsgeeren Jesus Van Nazareth en Baruch Van Spinoza.* Amsterdã, 1857.

[VII] C. Brunner — *Spinoza contre Kant*, publicado em alemão em 1909 e traduzido para o francês em 1932.

[VIII] Busse — *La suite cronologique des écrits de Spinoza* — in *Revue Philosophique* — 1894 — I vol. p. 343.

L. Adelphe — "*Da noção de soberania na política de Spinoza*" — Nancy — 1910.

M. Dessauer — "*Spinoza e Hobbes*". Breslau, 1868. De Tulio — "*Conceito do direito na filosofia de Spinoza*" — in "Giornale napoletano di Filosofia", 1884.

[IX] A tradução deste *Tratado político* para o português foi feita sobre as versões francesas de *Saisset* — *Oeuvres,* T. II, Paris, Nouvelle édition, 1872 — a de *Appuhn* — *Oeuvres,* T. III, Paris, Nouvelle édition, 1929 — tendo-se à vista, também, o texto latino, ed. de Van Vloten et Land, editio tertia, 4 vols. 1913. O *Tratado político* está no 2º vol.

Duff — *Filosofia moral e política de Spinoza. Glascow* — 1903.
Ferrière — *Sobre a política de Spinoza.* Paris — 1865. Gaspary — *Spinoza e Hobbes.* Berlin, 1873. Luzzatti — *Spinoza e os precursores da liberdade de consciência.*
In: Nuova Antologia, 1877. Malapert — *De Spinoza e política.* Paris, 1897. Rauschenplat — *Bismarck e Spinoza, suas características.* Hamburgo, 1898.
C. Benoit — *Spinoza et Marx* — in "Le mouvement socialiste" — 1905. Hartenstein — *Hobbes und Spinoza.* Leipzig, 1856. Kühns (A.) — *Spinozas Traectatus politicus und die parteipolitischen Werhaltuisse der Niederlande* — 1900.

Estudos especiais e minudentes, sobre as concepções políticas de Spinoza, ainda tiveram: — Horn (1851), Gaul (1887), Gebhart (1908), Hoff (1895), Kriegsmann (1878), Kim (1848), Sigwart (1844) — Krug (1825).

Notas dos capítulos

¹ Esta carta é, geralmente, colocada como prefácio ao *Tratado político*. Assim fizeram os editores das *Obras póstumas*. Julga-se ser a última escrita pelo filósofo, provavelmente, endereçada a Jarig Jelles, um dos seus mais fiéis amigos e discípulos. O interesse que ela desperta provém não só da exposição do método que seguiria Spinoza na elaboração do seu *Tratado político* como, principalmente, das ideias que nele não chegou a expor, mas que deixa entrever na carta acima transcrita — as suas ideias de uma organização social, democrática e *popular*. A doença, e logo a morte, não permitiram que completasse a obra, esse altíssimo espírito, que, depois de se manifestar como dos mais portentosos na filosofia, mostra-se como dos mais argutos na política e revela-se como dos mais puros na democracia. Pelo *Tratado político*, constata-se um luminoso Spinoza, democrata impertérrito, capaz de figurar ao lado dos que mais o têm sido.

² ÉTICA — III e IV.
³ ÉTICA — V — esc. da P. 42.
⁴ *Tratado teológico-político, C.* XVI.
⁵ *Et. P.* IV esc. da Prop. 37.
⁶ *Et. P.* II. Prop. 48, 49 e o esc. da Prop. 49.
⁷ São Paulo — "Epístola aos Romanos" — IX, 21, 22.
⁸ ÉTICA — III — esc. da p. 29.
⁹ Ver Justino, Hist. XXXII, 4, 12.
¹⁰ Quinto-Curcio, livro X, cap. I.
¹¹ Essas palavras são tiradas de um escrito falsamente atribuído a Salústio. Ver a edição de Cortius, Leipzig, 1724. (Nota de Saisset.)
¹² Ver ÉTICA, P. III — p. 29 e s.

[13] Reis — L. II c. 15 e s.
[14] Tácito — Histórias — Livro I.
[15] Jurisconsulto espanhol que foi por 1585 professor de Direito na universidade de Louvain. Um dos mais notáveis escritores da Política. Escreveu uma obra célebre: *El arte de gobernar* (Discurso dirigido a Felipe II — 15-98) de que conheço uma trad. francesa, com o texto espanhol, Paris, 1867. Sobre esse famoso publicista, ver o livro de Miguet — *Antonio Péres et Philippe II*, Paris, 1887. (O tradutor brasileiro.)

Direção editorial
Daniele Cajueiro

Editora responsável
Ana Carla Sousa

Produção editorial
Adriana Torres
Mariana Bard
Carolina Rodrigues

Revisão
Luiz Felipe Fonseca

Diagramação
Henrique Diniz

Este livro foi impresso em 2020
para a Nova Fronteira.